全食物密碼

The Whole Food Codes

CONTENTS

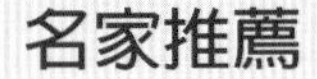

名家推薦

蘇起 06

姊姊與弟弟 07

馬英九 08

林碧霞 09

高金素梅 10

李秋涼 11

黃苡菱 12

發行人序

迫不及待的分享 13

作者序

緣起 14

導讀

祝福與對策 16

工具箱

我的秘密武器 32

採購指南

我的採買基地 34

後記

感謝 178

PART1 準備篇 36
全植物高湯 38
發芽的種子和生的堅果 40
發芽的方法 41

PART2 早餐篇 42
精力湯 5 杯 44
綜合精力湯 46
牧草精力湯 48
結球高苣精力 50
全南瓜腰果精力湯 52
全蓮藕精力湯 54

全漿類 4 杯 56
全黃豆芽漿 58
全五穀米漿 60
杏仁全豆奶 62
百合銀耳漿 64

蔬果蜜 6 杯 66
鳳梨香蕉蔬果蜜 68
全杏仁水果蜜 70
芝麻香蕉果蜜 72
番茄蔬果蜜 74
紅蘿蔔蔬果蜜 76
粉紅水果蜜 78

全果汁 4 杯 80
全葡萄汁 82
全西瓜汁 84
全香瓜汁 86
柳丁百香果汁 88

早餐的搭配建議 90

CONTENTS

PART3 調味醬類5種 92

桑椹醬 94

杏仁醬 96

涼麵醬 98

豆腐美乃滋 100

鹹沙拉醬 102

PART4 午、晚餐篇 104

涼拌類10道 106

涼拌海蜇皮 106

涼拌海鮮 108

山藥鱈魚肝 110

五彩雞柳 112

芙蓉蝦仁 114

酪梨沙拉 116

羅勒番茄 118

涼拌海帶芽 120

芝麻大陸妹 122

芝麻牛蒡 124

熱菜類10道 126

香椿豆皮 126

紅花綠葉 128

黑白雙雄 130

蘆筍百合 132

禧福會 134

破布子蒸魚 136

肉燥什錦 138

水果雞 140

洋蔥牛肉 142

蘿蔔燒肉 144

湯鍋類 10 **道** 146

番茄海鮮湯 146

蓮藕龍骨湯 148

紫菜小魚湯 150

金針肉絲湯 152

味噌魚湯 154

抗癌蔬菜湯 156

全冬瓜子湯 158

全南瓜湯 160

蔬菜濃湯 162

五色麵疙瘩 164

PART5 **休閒食品篇** 166

冰沙類 3 **道** 168

杏仁冰沙 168

香蕉鳳梨冰沙 170

草莓冰沙 172

糕點類 2 **道** 174

燕麥糕 174

蘿蔔糕 176

名家推薦

一起來享用她的菜

42歲是我人生的轉捩點。那一年，我意外的發現肝臟有個不小的腫瘤。雖然迅速加以手術切除，但我從此被列入危險族群。十四年了，到今天還要每四個月躺在超音波床上聽一次檢測醫師對我的宣判。

這中間我經歷了七年極度煩忙的政府工作，常常每週只有半天的休息時間。很幸運的是，我走過來了。

所謂「不經一事，不長一智」，我的「一智」就是月卿常說的「健康是可以管理的」。如果把人的身體當成小宇宙，那麼大概就只有兩樣東西可能侵入到這個小宇宙（除了意外事件）。一個就是無形的喜怒哀樂情緒，另一個就是有形的食物。前者靠EQ、靠修為，後者靠的就是自己的健康管理。

健康管理，說的容易，做起來卻很難。連我自己都是經過好多年才被說服。由抗拒，到冷漠，到勉強，到習慣，到自然，再到現在的享受，我克服了不少心理障礙，從惰性到莫名的男性尊嚴。

在這段漫長的歲月裡，月卿發揮她早年勸我戒煙的不屈不撓、循循善誘的精神，一方面在公忙之餘大量閱讀相關書刊，充分吸收資訊，一方面三不五時在家試做不同的蔬果汁與新鮮的蔬果菜肴，當成孩子們及我的早餐或晚餐，順便看看我們的反應。

這個試誤過程慢慢改變了我們全家的口慾與習慣，也改變了我的健康觀念。過去我是一個絕對的肉食主義者，今天我如果

每天早上不喝杯月卿特別調理的精力湯、另外兩餐不吃五種蔬果類，就會覺得很不自在。養成這種習慣後，比較對不起的是偶而來家裡吃飯的親朋好友。一位坦率的親戚就曾直言：「怎麼吃這種菜啊！」

他的話也就是十幾年前我常皺著眉說的話。現在我越來越慶幸自己能享受「這種菜」。

月卿今天把她十幾年來的研發成果端出來與有緣的人分享，我非常高興。相信不出幾年就有很多的「我們」一起來交換享受「這種菜」的心得。

蘇起

(作者蘇起先生為陳月卿夫婿，國民黨不分區立法委員)

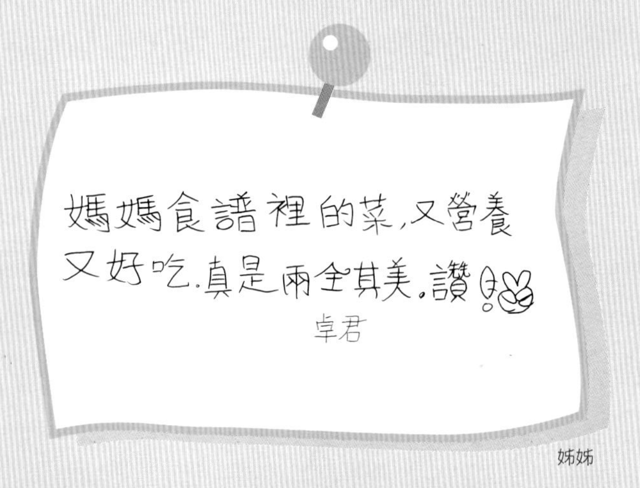

姊姊

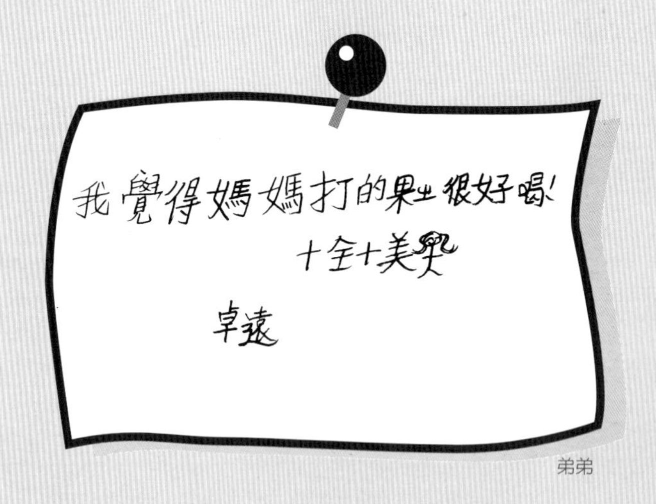

弟弟

名家推薦

吃出健康，吃去疾病

人類很早就明瞭飲食與健康之間有密切的關係。古希臘時期的畢達格拉斯，就曾經勸告世人說：「不要忽你的身體健康，飲食、動作均須有節」。由於醫學及公共衛生的進步，人類壽命普遍延長，正確的飲食觀念對現代人的健康顯得更為重要。忙碌的現代人對自己的飲食品質往往不在太意，有些人常工作到忘記吃飯時間，也有些人隨意在外吃消夜，甚至有人把泡麵當成三餐的第一選擇。這樣的飲食習慣不禁令人憂心，即使擁有再好的體質，恐怕也難以抵擋不良飲食習慣的折磨。

陳月卿女士因夫婿十多年前罹患肝癌，於是埋首研究癌症的成因及防止癌症復發的方法，體認到飲食對於人類身體健康的重要性。她以高度科學化的精神，經過十多年的研究，發展出一套健康飲食的烹煮方法及法則。其具體的效果，陳女士自己擺脫了長久以來「藥罐子」的稱號，也成功防止其夫婿癌症復發，於是撰寫本書與大衆分享飲食經驗及心得，希望讓大衆吃得更健康。陳女士的精神與用心，在在令人感動。

1986年世界衛生組織的里斯本會議指出，健康是社會事務，不只是醫療事務。身為臺北市長，也感到對市民的健康負有一份責任。

在市府推動「臺北健康城市」所設定的七大健康議題之中，第一項就是提倡健康的飲食文化，這需要政府與民間共同的努力。因此，我非常期待陳月卿女士在這本《全食物密碼》中的飲食法則及六十道菜餚的食譜，能帶給臺北市民生活及飲食上的啓示，營造健康的飲食文化，引領全國民衆進入健康飲食的大門。

馬英九 謹誌

九十四年一月十三日

(作者馬英九先生為台北市長)

人間最美的食譜

人間最美的是至愛，這本食譜非常美，因為它源自摯愛。

人要怎麼吃才符合健康的原則？應該如何規劃飲食？這問題不容易被尚稱健康的人們所注重；一般人也大多知道均衡飲食的重要性，而且不要吃太重口味的食物，但是面臨選擇食物時，大多還是隨口腹之慾，所謂的健康飲食原則總是拋諸腦後。很多講究生機飲食者，禁忌很多，飲食內容易流於貧乏，口味極淡，而且太過強調生食，讓一般人以為健康的代價就是禁口慾，所以能接受者幾希！飲食方式確實是人類文明的一部分，要有所改變絕非易事，然而它確實影響人的健康至鉅，如何兼顧健康與口腹之慾，確實考驗著我們的智慧。許多書攤上的食譜，大多是在傳統的菜餚著墨，而且其烹調方式仍需要相當的技巧；我家裡就放了好多本這類的食譜書籍，但是好像從來也沒有成功的依樣烹煮過，掌廚這麼多年以來，幾乎也沒有真正以之為參考。

月卿，一個文化工作者，在先生的健康出現問題時，毅然全力投入家人飲食的革(救)命性規劃，這本食譜就是這段歷程的心血結晶，因摯愛而產生的智慧。它是一本符合生機飲食原則的食譜，簡單易行，食材豐富，冷飲熱食兼俱，甚至有些是葷食，讓一般人的口腹之慾能得到適度的滿足，其對於各種食材的營養特質多所描述，讓這本書更增添了知識性。這些優點，是這本生機食譜最難能可貴之處。這本食譜，有愛，有智慧，深具參考性，它絕對不應該是書房裡的一本藏書，而是應該放在廚房裡隨手可得之處，做為愛家的人，在調理食物時的重要參考。

你，不一定要有高超的烹調技巧，一定可以依照這本食譜做出健康的餐點，讓家人在飽足之後，健康乃現。

林碧霞

(作者林碧霞女士為台大園藝研究所博士)

名家推薦

吃對美食　夢想大開

就如蘇起先生與月卿姐的經驗一樣，雖然我現在已經從政，依然接到許多癌症病患家屬的求救電話。很多人問我：究竟是吃什麼藥？看哪位醫生？吃哪家的生機飲食？

讓我從經歷說起。在我發現罹患肝癌前，一直都有胃痛悶脹的問題，可是那天理應我拿完胃藥就要走了，不知為什麼，薛岳的身影竟然浮上心頭，所以我才要求要照腹部超音波，也因此得以早期發現早期治療。

所以自從我得病到發病，心裡真得沒有半點怨天尤人，反而是無盡的感恩，讓我有機會再重生吧。正如月卿姐的體悟：「智慧來自於生命特殊的歷練」。

在乖乖地接受醫師治療後，喜歡追根究底的我，也開始閱讀了許多書，當然不外乎是生機飲食與健康運動等書籍。其實，我並沒有特殊根治癌症的方法，就是吃對的食物。現代人對於食物營養的吸收越來越少，實在荒廢了大地給予人類的十足養分。

而這本書將我們共同而零碎的經驗整合起來，所以，為了出版「全食物密碼」，月卿姐必須從許多專家智慧中萃取出精華，然後拼合成每一道色香味俱全的餐點。如果當年我和家人能早點接觸此書，或許就能早點享受飲食的美妙之處。

所以，「全食物密碼」不僅是一本介紹食物的書，其每一頁都隱含著未來健康夢想，更能引領你打開每扇多采多姿的生活大門，就等你給自己一個機會去接受它吧！

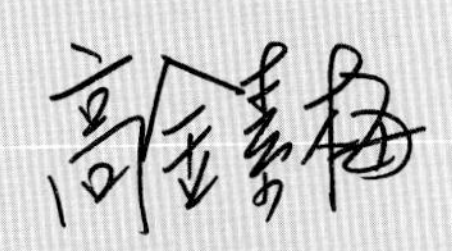

(作者高金素梅女士為無黨籍立法委員)

吃出健康　吃出愛

大約十年前左右，基於同樣是追求健康的理由，我與作者陳月卿女士相約在光啓社碰面。磁場相同的我們，一見如故，對談甚歡。言談間，可以感覺到她對全家人身體健康的照顧十分用心而有智慧，有關飲食的觀念也很正確，尤其是談到「完全營養機」的使用心得，我們的共同話題就更多、更投入了。

在很短時間內，我們籌備出一場牧草大餐，還集合了一群志同道合的朋友，一起「吃出健康吃出愛！」此後，她便積極參與各項有關活動，讓我印象最深刻的是她一定會隨身攜帶筆記本，邊吃菜邊做紀錄，回家後就實施在她的生活中。所以她的生機飲食極其生活化的！

為了照顧罹患肝癌的先生和維護孩子的健康，她很勤快認真，看遍了國內外的有關資料，並做了深入研究，不但造福了全家，連自己多年的貧血現象也一併消除，擺脫了「藥罐子」的夢魘。如今她是健康美麗的代言人，更難得的是她願意兼善天下，把自己多年的研究收穫和體驗心得與衆人分享，讓大家在接受飲食新觀念的同時，也能輕鬆學到全食物、全營養的簡單烹調方法。

作者曾主持過「華視新聞雜誌」的節目，讓我有機會在電視上傳達許多新的健康訊息；更因為有了媒體的積極報導，才讓我有足夠的信心去推廣身心靈整合的健康概念。感恩天主安排我認識她，也請讀者大家因著她的善心引導而得到健康，期待有一天，台灣這塊土地終能成為健康王國！

李秋涼

（作者李秋涼女士為愛德園文教基金會創辦人、抗癌鬥士）

名家推薦

健康生活的實踐家

沒有認識月卿姐之前，在電視節目中看見她對生機飲食的了解感到印象深刻，再與月卿姐深入談話之後，發現月卿姐不僅是努力尋求健康新知，更難能可貴的是她是一位確實執行的健康生活的實踐家，讓我更加佩服她。

大部分人可以很容易的找到自己所需要的健康飲食的知識，可是真正要實行在自己的生活中，可能就是一種負擔。但是在月卿姐的生活中，吃到健康有機的飲食是那麼的輕鬆，不必大費周章的調理，一樣可以吃到美味可口的食物。這一次月卿姐出書，將所有的知識與經驗紀錄下來，對我們而言是天大的好消息。

這一次月卿姐還提出全食物的概念，提醒我們飲食要攝取完整的營養，而不要偏頗，我們應該要吃的是食物的全營養，而不是過度加工或料理而導致營養流失的食品。仔細閱讀之後相信大家會收穫匪淺。

其實生病對一個人而言，是一種善意的提醒，讓我們停下腳步看看自己的生活與生命，所有的歷程都是我們自己選擇的結果，所以希望自己健康快樂，就必需選擇健康的生活方式和健康的飲食。看這本書多學習月卿姐的經驗，讓營養健康的飲食可以更容易實踐在我們的生活上。

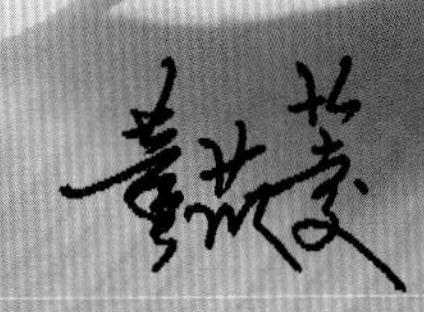

（作者黃苡菱女士為台北醫學大學保健營養系畢、新圓山診所營養師）

發行人序

迫不及待的分享

這本書的催生來自於多年前的一杯果汁。民國八十六年秋冬之際，我當時在東森電視台新聞部擔任製作人的工作，有一次我到時任總統府副秘書長蘇起與華視金鐘名主持人陳月卿夫婦的府上採訪。當時月卿姐正意志堅定地陪著夫婿共度抗肝癌最艱辛的頭幾年路程，可是夫婦倆默默承受壓力，並沒有透露。

我應該要隱約嗅出端倪的，因為女主人三句不離家人健康飲食的重要，說著說著還熟練地拿出一堆穀類雜糧當場打一杯我沒見過的雜糧果汁，站在一旁的蘇起先生則很有默契地接過太太手中的果汁，乖乖地當場就喝個精光。「我每天早上都規定他一定要喝！」只見月卿姐像是老師一樣嚴格的訴說著。

這杯果汁在我腦海裡留下非常深刻的印象。去年夏末，再次見到她熱心與友人分享做菜養生的方法，喚起我多年前那杯果汁的記憶，又聽著她滔滔不絕闡述更多精闢的健康飲食心得，我聽著入勝，卻也不禁打了冷顫：「有多少人胡亂飲食，身陷健康危機而不自知！」而多年後的她，整個人活脫得益發年輕亮采，膚質更添柔嫩光澤，全拜她習得的這套「全食物」新飲食觀，加上她是為了陪夫婿抗癌努力變成養生專家的點滴故事，終於我下了鐵石般的決心，一定要鼓勵她出書分享國人。

這本書很多地方令人動容，因為我看到一位非營養專業科系出身的女性她的努力，她做得到，所有人也都應該入得了這道門檻！她花了十四載歲月，訪遍專家、翻遍書海、不斷試驗，得出的心血結晶何其可貴！而本書的企劃、製作、出版的水準，相信也令國人耳目一新。

書中她親自示範的每一道菜，都非常好吃，我親自在現場一一品嚐見證，還有很多親朋好友饕家，鑑賞過後均讚不絕口。這絕對是一本應該擁抱的好書，它們準備容易、做法簡單、口感一流，我真的迫不及待希望每個人都能夠像月卿姐般，掌握全食物密碼，擁抱成功、健康與美麗！

緣起

智慧來自於生命特殊的歷練。

從來不喜歡下廚的我，很難想像有一天我會對各種食物的營養如數家珍，並且對調配食物充滿興趣，還急切的想跟別人分享。

因為自己和親密的愛人一老公（蘇起）先後失去健康，經過十多年的摸索、研究、體驗、我發現了一些健康烹調的法則，知道怎麼吃最健康、不會發胖、還可以延緩老化、保持青春。

我不僅用這套方法洗去了我「藥罐子」的稱號一從每天頭痛、胃痛、全身痛，變成不再有地方痛；從每天起床後不到一兩個鐘頭就累了，到現在從早到晚精神奕奕，從不喊累；從每個月都在感冒，變成七年不曾因為感冒使用過健保卡。我還用這套方法幫助我的另一半防止肝癌復發，用這套飲食餵養我的兩個小寶貝。

經歷過失去健康的恐懼和痛苦後，全家能平安、健康、快樂的生活變成生命中最大的幸福和珍寶。

雖然摸索、研究的過程勞心費事，但是透過體驗、實踐，去蕪存菁，保留下來的原理法則其實很簡單，所以我一直告訴朋友健康其實很Easy。

我不是一個只願獨善其身的人，可是每次跟朋友分享這些我視若珍寶的原理法則，他們起先兩眼發亮的聽著，接著就會說：太多了，我記不住，你乾脆寫成書吧！

還有不少癌症病患的家屬會打電話給我，問我該怎麼弄食物給病人吃？怎麼生活最健康？有沒有抗癌的秘方？他們也會敦促我：為什麼不寫一本書跟大家分享呢？

尤其看到許多人正如以前的我和我老公，根本不了解飲食、營養對健康的重要

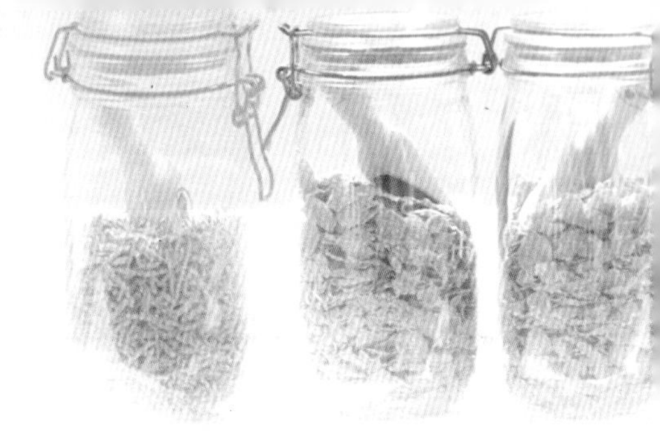

性，「吃」只為了滿足口腹之欲、或填飽肚子，他們的飲食方式讓我膽戰心驚，看著他們愉快的吞下大量毒素，更讓我心裡難過。特別是那些孩子，受著味蕾的刺激，愛吃高脂、高鹽、高熱量的食物，還配上高糖飲料，加上大量垃圾食品，除了空熱量根本沒有足夠的營養，甚至造成身體很大的負擔，所以七歲的女孩肝就纖維化，必須換肝；八歲的男孩就腦血管破裂、中風；十幾歲就有高血壓；過敏性疾病非常普遍。糖尿病、腎臟病、癌症一等疾病的發病年齡也大大提早，國民的整體健康都受到影響。

我覺得要改善這種現象，就要推展一種新的飲食文化，簡單、方便、營養而且好吃，讓人人都可以動手做，家家都喜歡在家裏用餐。家的功能因此更完整、家的氣氛因此更溫馨，全家人也因此更健康。這本食譜就是為了這個目的而寫的。

所以它是寫給一般家庭用的，不是特別為病人設計的。

每道菜都很簡單、很方便，不需要花很多時間學，也沒有繁複的程序。特別適合新手媽媽、忙碌的職業婦女、愛自己的單身朋友（男生也可以試試看），尤其適合像我一樣怕麻煩、怕油煙而不願下廚的人。同時每道菜都盡量在健康和美味之間求取平衡點。

簡單的說，這本食譜的特色是：自然、生鮮、多元，全食物、全營養。少油、少鹽、少糖，零煎炸、零負擔。這也是追求健康、幸福的密碼。特別是全食物、全營養的觀念，在歐美已經流行一段時間，在國內才剛起步，在導讀中會有比較完整的介紹。

希望這本「全食物密碼」不僅帶給你健康也帶給你幸福，就像它在我身上發揮的作用一樣。

導讀

祝福與對策

祝福有時候會以災難的型態出現，十四年前我就碰上了這種祝福。

當時我剛剛經歷過一次椎心的小產，事業也遭逢瓶頸，身心俱疲的我趁著當選美國東西文化中心Jefferson Fellow的機會，到夏威夷參與專門為資深新聞工作者舉辦的交流研討計畫。我那一向頭好壯壯、幾乎不曾感冒、看我因胃痛急診輾轉呻吟還好奇的問我胃在哪裡的老公，忽然心念一動，覺得年過四十，閒著也是閒著，不如趁著老婆不在去做個全身健康檢查。結果，不用儀器，醫生手一摸就發現

他的肝不對勁，超音波檢查證實他得了肝癌必須立刻開刀切除。

我那一向冷靜理性的老公透過長途電話告訴我這個消息，聲音一如平常，絲毫感覺不到情緒起伏，他還說：「我知道妳很重視這次的研討訪問計畫，半途放棄實在可惜，妳可以不用回來，我自己可以應付。」

當然，我選擇陪他一起面對這場生命硬仗。手術很成功，主刀的榮總外科部主任雷永耀告訴我們，瘤雖然很大，但長得位置很好，又有一層膜包著，所以切除得很乾淨。

手術完了，我的問題才正開始。他這麼健康為什麼會得癌症？怎麼樣防止癌症復發？第二個問題尤其重要，因為肝癌五年的存活率不到15%。我一頭栽進書海，大量閱讀與癌症、健康有關的書籍。

透過閱讀，我發現癌症與飲食習慣和生活作息有密切的關係，幾乎七成的癌症與飲食有關。飲食不當還會引起各種「現代文明病」，包括心血管疾病、高血壓、腦中風、糖尿病、腎臟病、消化性潰瘍、關節炎、風濕症、各種頭痛、過敏、氣喘、免疫機能失調、內分泌失調、神經衰弱-----等等。古人說病從口入，真是一點也不假。

其實，當時我的健康狀況也不好。記得新婚沒多久，我那當時任教政大的老公有一天忽然面容嚴肅的跟我說：「我下了很大的決心才娶妳。」我一聽差點沒氣昏，心想：有沒有搞錯？應該是我下了很大的決心才嫁給你啊！因為當時我擔任華視新聞雜誌製作人兼主持人，每週出現在螢光幕前，認識我的人遠比認識他的人多，所以我覺得自己雖然說不上是下嫁但也不至於高攀吧！沒想到我那寶貝老公的回答大出我意料之外，他說：「我發誓絕不娶個

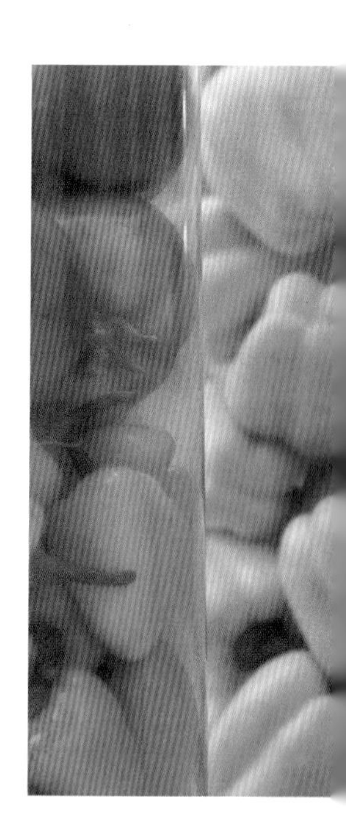

導　讀

『藥罐子』，可是妳就是個『藥罐子』。」

我一想：對呀！我每天不是頭疼、就是胃疼，腰酸背痛更是家常便飯；我渾身倦怠、常常感冒；不是消化不良、就是腸胃炎；皮包裏隨時都有各種乳狀、粉狀、錠狀的腸胃藥、感冒藥、消炎藥，真是個如假包換的『藥罐子』。

這一記當頭棒喝敲醒了我，使我開始正視我那些雖不嚴重卻相當折磨人的毛病。

我去做了健康檢查，醫生說我肝腎指數都正常，沒什麼大毛病。我不死心的追問：「那我為什麼那麼不舒服？」醫生被我問得受不了，就告訴我說：「除非你肝腎壞了一半，指數才會顯現出來」。我一聽這還了得，到那時候才治還來得及嗎？

於是我開始自力救濟，找尋各種跟健康有關的書籍。我讀了莊淑旂博士的書發現，我似乎就是她書中所描述的癌前體質，如果不積極改善，可能離癌症也不遠了。

沒想到我還在跟健康苦苦拔河，我那自詡「健康寶寶」的老公卻比我先一步檢查出肝癌，為了救他、也為了自救，我無怨無悔的縱橫書海、收集資訊、中醫、西醫、生機飲食的理論只要覺得有道理都加以實踐，甚至宛如神農氏嚐百草，拿自己的身體來做實驗。實驗證明好的、容易做得到的就保留下來，否則就放棄。

十四年過去了，很多人看到我老公都說他氣色真好，而且越來越年輕，看起來不

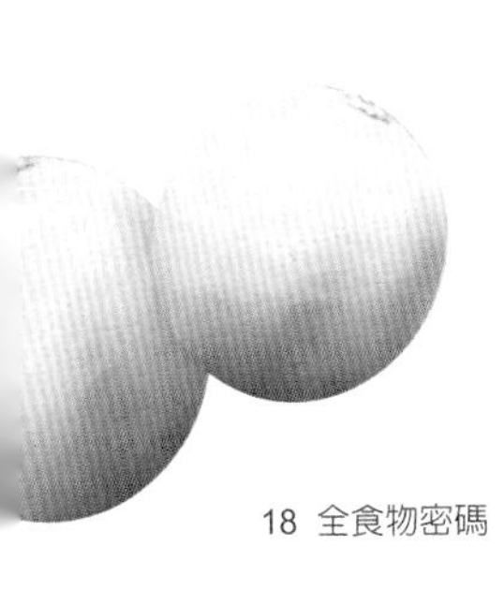

太像五十好幾的人。很多人也許不知道，他是在肝癌手術後才兩年多就由學術界進入政府，擔任行政院陸委會副主委。民國八十五年出任新聞局局長時距離手術剛滿五年，忙碌的公職生涯一直到八十九年政黨輪替為止。

這中間我們還生了兩個健康活潑的寶寶，帶給我們很多樂趣，家庭越來越完整、也越來越溫馨甜蜜。

至於我的健康也有大幅改善。現在看到我的人很難相信我曾是個「藥罐子」，他們叫我「永備電池」，因為永遠精力充沛、生氣勃勃。我發現不知道器官在哪裡真是很大的幸福，因為它們正常運作、絕不打擾你。同時全身上下沒有一處酸疼，實在是很棒的感覺，原來健康就應該是這樣。去年四月SARS流行，因為有一點小感冒比較緊張，跑到家庭醫師那兒檢查，才發現已經六、七年沒有因為感冒來看診。而困擾我多年查不出原因的貧血也改善了許多，嘴唇從紫的變成粉紅的。

一場災難，結果化成祝福，讓我們生活得更健康、更快樂、更自在。

我不能說這全是改善飲食的功勞。我學會打坐、幫助我放鬆；我皈依宗教、人生觀和脾氣有很大的改變；我規律的運動、週末全家去爬山、接近大自然。這些都很重要，但是改善飲食是第一步，而且是非常重要的一步，改善飲食連情緒也改善了。不信，你不妨試試。

總結我的閱讀經驗

具有統計學背景的福瑞德瑞克．霍夫曼醫生（Frederick Hoffman）經過環球研究後，寫了一本像字典一樣厚的書討論癌症跟飲食的關係。他的結論很簡單：「我

認為飲食型態應該被視為癌症的主因」。

而科班出身的亨利·畢勒醫師（Henry Bieler M.D.）在自己生病後試過所有藥物，卻仍然有氣喘、腎臟病及體重過重的毛病，他遇到一位病理化學的醫師，發現營養所引起來的健康問題並不能完全靠吃藥解決。所以他改善飲食習慣、放棄藥物，結果他的疾病消失了。他行醫五十年一直用這一套治療病人。關於疾病的原因

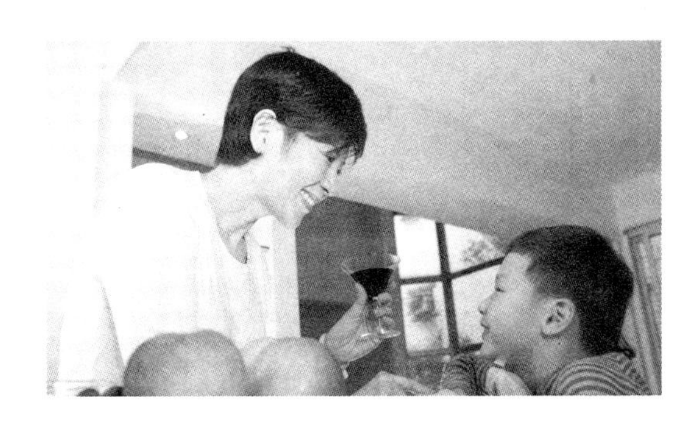

和治療，他有三點結論：

第一：疾病發生的原因並不是細菌，而是因飲食不當，消化不良，以致毒素日積月累，導致細胞的損傷和毀壞，才為細菌的增值和侵襲舖好了路。這些毒素滯留血中，也會損壞身體的過濾器官和排泄器官像肝、腎、腸和皮膚。很多疾病如氣喘、關節炎、頑固的皮膚病、纖維性腫瘤、消化性潰瘍、糖尿病、心血管疾病、和很多的發炎現象-----，事實上都是身體強迫排除毒素所產生的症狀，而不是疾病的原因。

第二：藥物通常會引起嚴重的副作用，有時甚至創造出新疾病。

第三：疾病可以透過正確地吃適當食物而得到治癒。

我們不是畢勒醫生，無法用食物治病，但至少可以避免病從口入，或更積極一點吃正確的飲食，提供我們的細胞充分鮮活的營養，提升我們的免疫力，讓我們的身體更健康、更充滿活力，而這只要花一點點力氣就可以做到。

毒、酸、缺是破壞免疫力的三大殺手

跟畢勒醫生一樣，安・威格摩爾博士（Ann Wigmore）也是因為自己患有好幾種疾病像偏頭痛、低血糖症、關節炎、沮喪、癌症---等，而開始探究健康之道，最後她用生機飲食克服了癌症，並且用這套方法幫助了很多人。她認為「毒素累積」和「營養缺乏」是人類致病的主要原因，相關的症狀可以多達130多種。

人體累積的毒素包括：空氣污染—化學毒素、煙塵、廢氣；水污染—各種重金屬、化學藥劑；食物污染—農藥、化肥、生長激素（荷爾蒙）、抗生素、各種人工添加物、防腐劑、除黴劑、放射線照射----不一而足。

這些毒素進入體內之後會產生大量的自由基，這些自由基會破壞細胞膜及細胞核，造成氧氣和各種代謝物質出入細胞的

障礙、酵素合成異常，以及造成基因的傷害與變異，因而引起各種病變和腫瘤。

安博士認為「吃得太多、吃得太好」的現代人一方面營養過剩如蛋白質、脂肪、碳水化合物過多，造成心臟、血管、腎臟、新陳代謝和肥胖種種疾病，像前面提到的八歲小男孩中風，七歲小女孩換肝，以及五年級小朋友糖尿病，就都是高油、高鹽、高脂、高糖飲食吃出來的，所以營養過剩其實對健康的危害很大。一個人一天蛋白質的需要量是0.8克＊體重，所以一個七十公斤的成年人一天只需要5、60克蛋白質，像手掌心大小的一塊瘦肉或魚

肉，再加上一塊豆腐，一兩杯豆漿就足夠了。蛋白質過剩會增加腎臟負擔，現代人因為吃得太好，所以洗腎病人也大量增加。

另一方面現代人卻也是營養缺乏的：如酵素、維生素、礦物質、及纖維質等不足，而這些都是維護健康不可或缺的要素。

根據醫學上的研究，缺乏某些酵素，是導致血癌發生的因素之一。酵素缺乏也可能導致永久性的神經損傷。酵素對大腦的正常運作也十分重要。缺少了酵素，被病菌感染的身體不能發揮自癒的力量，也不可能擁有健康的血液。過敏症的主要原因也是缺乏足夠的消化酵素。另外不少人經常感到疲乏，主要也是因為體內酵素系統不健全，沒有辦法正常消化食物。

人體需要七百多種酵素，大致上分為兩類，一類是內生型酵素，也就是體內可以自行合成的。一類是外生型酵素，人體不能合成，需要經由攝食而取得。如果食物中的酵素量不足，人體只能不斷消耗本身的內生型酵素，當我們身體處於健康平衡的狀態下，體內可以不斷地製造各種需要的酵素，但是如果身體健康失衡，酵素就會不足、活力減弱。當體內酵素的品質和活力減退時，身體對於大分子脂肪、蛋白質和過多卡路里的處理能力也會減弱，這些未被消化吸收的食物也會造成血液內自由基的增加，引起老化和種種疾病。

「維生素」大都扮演著代謝過程中的催化角色，如果缺乏維生素，很多營養將無法被有效的利用，當然也會導致很多疾病。至於缺少礦物質和微量元素也被證明跟許多癌症有關。

不過吃人工合成的維他命丸、絕對不是大自然規劃的提供我們維生素的方法。離開具有生命力的酵素後，維生素就不能發揮作用，礦物質和其他微量元素也一樣，保持生理活性才能夠被人體吸收利用。

「體質酸化」是現代人失去健康的另一個原因。身體血液的正常酸鹼值是PH7.4左右，也就是偏弱鹼性。但現代人一方面酸性飲食過量，包括肉食和甜食；一方面熬夜、過勞、睡眠不足，所以體質偏酸，容易引起生化機能的異常，包括減少細胞內氧氣的供應、抑制部分酵素活性、影響細胞代謝、降低免疫細胞活性，這就為細菌和癌細胞的繁殖製造了有利的環境。根據統計，大約85%的癌症病人有體質酸化的現象。

我們實踐的對策

第一個對策：只吃食物，不吃食品

所謂食物指的是大地生產出來的食物，如各種新鮮的青菜、水果、海藻類、五穀類、生的堅果類、一點點魚類和肉類。也就是說我們只吃自然健康的食物，不吃任何含有人工添加物的食品，包括香腸、臘肉、火腿、熱狗，醃燻、冷凍、罐頭食品。當然各種誘人的麵包、甜點、糖果、餅乾、蜜餞、汽水、可樂等飲料也在謝絕之列。

在我先生剛開完刀的一兩年內，我們更幾乎完全素食。這對我那無肉不歡的老公是一大考驗，不過想想人到底是該「為吃而活」，還是「為活而吃」，答案就很很明顯了。

第二個對策：盡量清淡，絕不煎炸

健康食材也要用健康方法烹調，盡量不用調味料是第二步驟，也就是少油少鹽少糖、根本不用味精。過去鹽非常重要，很

多人認為鹽不夠會沒體力。但是最新的研究發現蔬菜中的有機鹽的確非常有用而且沒有毒性，但是食鹽卻是刺激品，使用過量對高血壓、腎臟病、和氣喘病人都有非常不好的影響。油脂熱量很高，過量對心臟、血管也有非常不好的影響。尤其油遇到高溫會產生毒素，而傳統中國菜煎、炒、炸特別多，這就是很多女性雖不抽煙卻罹患肺癌的重要原因。因此烹調方法盡量改用蒸、煮、涼拌，盡量少煎、炒，絕不用炸。尤其炸的食物對肝非常不好，自

從我不再吃炸的食物之後，明顯感覺健康進步很多。炸的食物、尤其是澱粉類甜食，更是愛美怕胖朋友的大忌，因為它所造成的脂肪特別頑強難消除。

第三個對策：多鹼性食物少酸性食物

肉、魚、豆、蛋、奶、都是酸性食物所以比例應該降到20%以下，而且為了好消化，每餐最好只吃一種蛋白質，因為肝臟不能同時處理兩種蛋白質的消化作用。

白糖、白麵、白米不僅是酸性還會代謝掉身體裡的維生素，所以一概不吃或盡量少吃。新鮮的青菜、水果不僅是鹼性食物，還有很高的能量，是排毒、去酸、補缺最好的食物，應該多吃，可以佔到飲食的30%—40%。為求營養均衡，每餐可以吃不同顏色的蔬菜，同時輪流吃植物的不同部分，也就是根、莖（菜梗）、葉、花、果實都要吃到。全穀類含有豐富的營

養，又是中性食物，還可以滋補脾臟，所以五穀雜糧類應該佔40%--50%。另外海藻類也是很好的鹼性食物，並且提供豐富的礦物質，每星期至少要吃兩三次。

第四個對策：每天最少一餐或部分生機飲食

生機飲食近來非常流行，所謂生機飲食就是生吃新鮮、有機種植的蔬果，最好是當季、當地的食物，因為天候和土壤都跟你生活的環境一樣，最能夠供應你身體所需的營養元素。生機飲食是由有特別營養的、幼嫩的、有機的小綠苗，和堅果類、種子類、全穀類、以及蔬菜、水果等組成，能夠提供富生機、含酵素、高能量的營養。

酵素怕熱，54℃以上很多酵素都會破壞掉、維生素也一樣，特別是維生素C。所以生機飲食可以保留最多的酵素和維生素。正如安博士所說：「具活力的酵素不是人力可以自行創造的，它是大自然的恩賜。」所以早上喝一杯全果汁或精力湯，中午吃一盤生菜沙拉或涼拌菜都是很好的選擇。但是基於中醫的概念，我不在晚上吃生食，包括水果。總體而言，我的生食比例大約30%。生理期我也不吃生食，而改喝用黑糖燒的紅豆湯。同時我發現生理期結束後吃幾帖四物湯效果蠻不錯。而我做月子也完全採用古法，對我身體的改善也很有幫助。

第五個對策：全食物、全營養

大自然非常奇妙，它在完整的食物中提供了豐富而完整的營養，所以要吃全食物，才能獲得全營養，這種飲食觀念最近在歐美日見風行。這樣的概念主要是來自「纖維質」營養價值的發現。有人說我們這一代對食物纖維價值的發現，可以媲美

上一代對維生素的發現。這種發現掀起了一場健康的革命。

纖維質是什麼呢？簡單的說纖維質有通過消化系統卻不受變化的特質。它普遍存在於完整的穀物、豆類、馬鈴薯、玉米和各種蔬菜、水果中。

根據專家的研究發現，纖維質可以減緩老化，還可以減少消化過程中對脂肪的吸收，所以可以控制體重，不至於發胖。可以降低膽固醇、三酸甘油脂的含量，所以可以預防心臟病、高血壓。

纖維質可以降低人體對胰島素的需要，有助於糖尿病的預防和控制。它本質粗糙，可以稀釋大腸中的致癌物質，連帶其他雜物一起排出體外，所以能防止腸癌的發生。

如果是蔬菜，盡量根、莖、葉都能一起吃。譬如菠菜，營養最豐富的就是紅紅的根部，卻常常在洗菜的時候被去除，非常可惜。以水果來說，可食用的部份包括果皮、果瓢、果肉、果核、種子等，儘量保留轉化為濃果汁的形態，可以吸收到更完整的營養和平常不容易吃到的微量元素。

譬如西瓜，白色瓜囊部分含有豐富的營養，可是我們往往只吃紅色的果肉，卻把最營養的部分丟棄。生機飲食的提倡者安博士最推崇西瓜汁，只要刮除薄薄的綠皮就可以整片放下去打，有時候她也連皮一起打。她鼓勵病人在夏天放心的喝西瓜汁。

葡萄也是，很多的研究證實它的皮和籽含有豐富的營養。能預防心血管疾病和抗氧化的成分事實上都在皮和籽裏，不吃這兩部分吃到的營養是不完整的。但是葡萄籽很硬，牙齒咬不動，有人甚至因此把牙齒都咬崩了，所以應該放進調理機打。這種連皮帶籽打成的葡萄汁，才是全葡萄汁，也才能吃到全葡萄的營養。另外鳳梨

心含有豐富的錳，我們也因為咬不動或口感不佳而把它切除，非常可惜。

全食物的另一個好處是寒熱平衡，像各式的瓜類，很多人擔心它們太寒，事實上完整的瓜，皮和種子是熱的，瓜肉是寒的，一起吃下去寒熱自然平衡。像苦瓜，很多人覺得很涼，不敢多吃，但是如果帶皮連子一起燒熟，把子裡面的仁像磕瓜子一樣吃下去，就沒有寒涼的問題，而且吃到更多營養。另外像冬瓜，如果把瓜囊連子切下來，放進調理機加水打成奶，再用這冬瓜子奶來煮冬瓜，風味更好也吃到更多營養，當然也沒有寒涼的問題。

這樣的吃法也最環保，因為什麼也不浪費，全部吃下去，廚餘最少。像南瓜，把皮洗乾淨，連皮帶子一起放在電鍋蒸熟了，再加牧草高湯或熱開水放在調理機裏打成全南瓜奶，不僅吃到果皮和果肉的營養，連南瓜子的營養也吃到了。大家都知道南瓜子含有豐富的鋅，對男性的攝護腺非常好。

五穀雜糧也一樣，完整的、沒有精製過的穀粒，不僅含有更豐富的營養，而且它是中性的。精製過的白米、白麵不僅只剩下空熱量，而且變成酸性的。同時因為白米比較軟滑、嚼幾下就可以吞下去，所以現代人幾乎咀嚼都不夠，不僅下顎鬆軟不夠有力，唾液也沒有好好分泌，久而久之

造成唾液腺的堵塞，莊淑旂博士認為這跟老年癡呆症有密切的關係。我們家小朋友從會吃飯就開始吃胚芽米、糙米、及五穀雜糧，一開始他們在外面吃到白米飯，會覺得很好吃，一口氣連吃兩碗；可是吃久了就習慣了，甚至會覺得五穀米比較香。

把種子浸水、讓它發芽，甚至長成小苗，營養更豐富、分子更小、更容易消化吸收，這是另一種完整食物。

混合了水果、芽苗和堅果打成泥做成的「精力湯」，是最完整的食物，含有豐富的營養也是我維護全家人健康的秘密武器。

很多人也許會擔心連外皮一起吃會吃進農藥，所以我們要選有機種植的蔬菜水果，或者把它沖洗乾淨。但是現在農藥非常氾濫，有些農民因為噴農藥容易中毒、生病，乾脆把農藥灑在土裏，或建個大水池，把農藥加進去，藉自動噴水系統來噴灑農藥，所以只剝掉外葉、去除外皮有沒有用也很讓人懷疑。

濫用農藥不只傷害人們健康也傷害了這片土地，使它日益貧瘠甚至死亡，我認為這才是最不愛台灣的行為。我也希望農政單位在這方面能給農民多一些輔導和協助，幫助他們用有機的方式耕種，也救救這片土地，讓它能恢復生機。

第六個對策：早餐吃得好、午餐吃得飽、晚餐吃得少

西方有一句諺語說：早上吃得像國王、中午像王子、晚上像乞丐。這句話很能掌握三餐份量的精隨。

早餐是最重要的一餐，因為你經過一夜睡眠，非常需要營養供應，同時早上七點到九點也是小腸最活躍的時候，這時候吃早餐最容易消化吸收。早餐也影響一天的

情緒和精力，所以應該提供營養豐富又容易消化吸收的食物。但是早餐時間短、往往很匆忙，所以我喜歡在早上給我自己和家人喝一杯「精力湯」或全果汁，只要幾分鐘，排毒、去酸、補缺的營養全具備了，而且它喝下去只要半小時就能消化吸收，能很快的提供我們身體所需要的營養，而一般食物吃下去要三、四個小時才能完全消化吸收。

午餐因為下午還有活動，同時白天消化力比較強，可以吃得多一點，如果要吃魚肉等動物性蛋白質，中午吃也比較容易消化吸收。

晚餐因為接近睡眠時間，如果吃得太多不僅不能消化吸收，還會加重消化器官的工作，增加身體的疲勞；而不能消化吸收的養分就會變成毒素，所以吃宵夜對健康非常不利。國人下班越來越晚，晚餐時間越來越往後延，這時候還大吃大喝，莊淑旂博士認為這等於是「慢性自殺」，她發現一些猝死症跟這個原因有關。

第七個對策：吃的順序也要講究

從生理化學的角度來看，人體是一座神奇的化學工廠，光光肝所執行的化學工作就多達五百多種，消化尤其是複雜的化學作用。為了幫助我們的胃不要太辛苦的工作，吃飯的順序應該講究一下：先慢慢喝湯，通知胃、食物要來了；接著吃生菜，因為它比較容易消化；接著吃煮熟的蔬菜；然後吃五穀雜糧，最後吃比較難消化的魚和肉。

水果屬於生食，應該飯前吃，或在兩餐中間吃。有句俗諺說：「餐餐七分飽，健康活到老」，少量多餐是一個好習慣，我常常早餐喝一杯500c.c.的精力湯，待會餓了再吃一片全麥麵包，午餐前一個鐘頭再吃份水果。

導讀

我對精力湯的體驗

「精力湯」是生機飲食提倡者安博士大力推薦的飲食。她說：「精力湯和回春水（一種小麥發芽浸泡的水）是營養最為完整的食物」。她還說：「要重獲健康，最重要的關鍵在於每天少量多次食用磨碎的食物。在波士頓和波多黎各的安博士健康中心裏主角食物即為精力湯、回春水綠色的小麥汁，而這也是我推薦的最主要健康食品了。」

有些人認為水果、生菜用嚼的吞下去比較好，可是根據安博士的研究，「食用一些打碎的生鮮蔬菜泥，效果又比嚼食生菜沙拉有效。事實上，如果有好工具，能將營養均衡的食物迅速打成泥，這種食物將有助於人體吸收完全的營養，這是提升免疫能力，克服各種疾病的良方。」

我喝精力湯到目前為止已經九年了。尤其在使用好的調理機之後，我發現不僅口感更好，也打出了更多營養。印象最深刻的是兩次懷孕的比較。記得節目主持人于美人在一次訪談中開玩笑的說，妳好壞，妳先生肝癌開刀，你還叫他生孩子。的確，我們的大女兒是在我先生開完刀後三年生的。當時我的身體還不太好，期間，我努力的喝牛奶、吃維他命，但是仍抽筋得厲害，常常半夜痛醒，甚至痛得流下淚來。原以為我再也不可能懷孕，沒想到喝精力湯兩年多，我又意外懷孕了。這次我不喝牛奶、不吃維他命，每天早上一大杯精力湯，外加一片全麥麵包、一粒水煮蛋，沒想到這回我一次也沒抽筋，順利的產下一個健壯的小子，我開心的稱他「精力湯寶寶」。

這幾年我體檢發現我的高密度膽固醇，也就是好的膽固醇，比一般人高很多，醫生覺得很奇怪。後來我想起曾經讀到一篇

文章指出，吃蛋的時候如果搭配含有豐富膳食纖維的食物，就會把膽固醇變成高密度的膽固醇，能幫你的身體進行良好的生化作用。原來我就因為常在喝完精力湯之後吃水煮蛋，所以無意間證實了這個理論。

其實我主要就是用精力湯來照顧我全家人的健康。因為它非常簡單容易，只要到有機飲食店買齊了材料，再加上一台得心應手的調理機，就可以開始了。每天只要幾分鐘就為一天的營養奠定很好的基礎。可以作為改變飲食習慣、邁向健康的第一步。

很多人對精力湯有誤解，覺得它一定是寒涼、冰冷的，其實精力湯也可以是溫熱的。而且可以配合體質的寒熱來調整搭配的材料。

不過任何好的食物都需要一段時間才能改變體質，不要期望它像仙丹。俗語說病來如山倒，病去如抽絲。其實病灶已經累積了很長的一段時間，只是你的身體和器官還在苦苦撐著，直到最後才倒下。同樣的要除去病因也要花很長的時間。所以醫生只能治療或改善你的症狀，要恢復健康，一定要從飲食、作息和運動去調整。記得聽人說過，身體的細胞七年全部更新一次。我覺得相當有道理，因為我算算從我開始採取行動，到我真正覺得很健康，也花了七、八年的時間。

所以，適當的飲食並不是一時的健身時尚，它應該是一種生活的方式。

接下來我們就一起動手做吧！

工具箱

我的秘密武器

有一句俗諺說：書中自有黃金屋，書中自有顏如玉。我很喜歡讀書，雖然沒得到黃金，也沒變成美女，卻得到很多知識，遇到許多貴人。

「如何用營養擊退癌症」就是對我幫助很大的一本書，作者奎林博士是一位營養學家，同時是美國一家癌症中心的副院長。他認為蔬菜水果是對抗癌症或擊退癌症最有利的武器，但是因為我們需要的量太大，再加上吸收的問題，所以他建議多喝蔬果汁。他同時建議使用維他美仕全營養調理機（Vita-Mix），因為這部機器打出來的蔬果汁抗癌成分是其他搾汁機的十倍。

我立刻請人從美國買來，試用之下果然好用，而且打出來的果菜汁口感特別好。過去我用一般果汁機打精力湯，我老公都皺著眉喝，改用這台調理機之後，我們忽然發現精力湯變好喝了。特別讓我放心的是它的容杯是用噴射機擋風玻璃的材料做成的，經過美國國家安全衛生基金會認證，無毒、易於清洗，而且不會因草

酸、果酸、熱水的侵蝕，而產生有毒的化學物質，所以可以讓我吃的很安心。更好的是它什麼都能打，一台可抵好幾台。我已經用了八、九年了，還好好的。

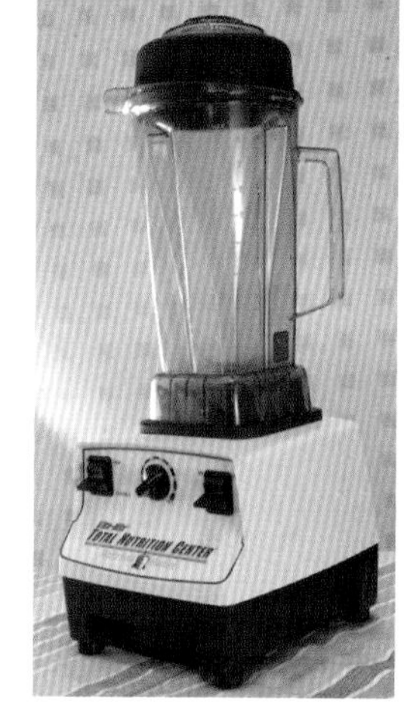

另外好的鍋具也很重要，建議選用合金鍛造，傳熱快又均勻的鍋。像牛頭牌炒鍋材質穩定，不易起油煙，可以減少烹調的時間，保持食物的營養和原味。除了炒菜鍋，也可以買個原味鍋。像牛頭牌原味鍋，可以做低溫、無水、少油烹調，用來烹調蔬菜，不必另外加水，可以保持蔬菜的原味，也不會破壞食物的養分。我特別喜歡他們設計的調節氣頭，看到蒸氣就知道菜燒好了。

馬錶也是我在廚房常用的工具，特別是煮菜的時候，我常喜歡同時做幾道菜，這時我會用馬錶按上需要的烹煮時間，馬錶一響，就提醒我菜已經好了，可以避免常常掀鍋蓋，或不小心烹煮過久。

一個小磅秤也是必要的工具，可以幫助你精確的掌握每樣食材的份量，尤其經驗還不夠時，這個小工具能幫助你避免失敗。

我的採買基地

很多人都知道有機蔬果對健康比較好，但是不知道到哪裡買。也經常聽到朋友抱怨，不知道自己買到的是不是真的有機蔬果。根據統計，目前全省約有三百家左右的有機專賣店。目前行政院農委會設立有機農產品驗證輔導小組，並接受四家民間非營利組織的驗證申請，目前只有「國際美育自然生態基金會」（MOA）通過輔導驗證，可正式擔任有機農產品驗證的工作，其他三家申請案例已在審核中，若其申請標準符合規定，消費者在未來將有更多的購買選擇。

主婦聯盟是國內率先推動有機栽種及共同購買的社團組織，目的是希望透過集體的購買力量，參與生產的過程，建立消費者與生產者間的直接對話，並藉此創造出健康安全的新生活模式。據我了解，在選定合作農友之初及往後每年固定一次，他們會要求農友作土壤檢測，項目包括土壤酸鹼值、有機質含量、氮／磷／鉀／鈣等元素平衡程度……。根據這些資料，了解農友「養土」的認真情況。同時，每天抽檢所有農友當天進貨的蔬菜，測試生化抑制率（農藥殘留）及硝酸鹽含量。

因為採消費合作社共同購買方式，所以

必須加入會員才能購買，我也是會員之一。各地設有取貨站，也有宅配方式。

統一有機也是國內較具規模的有機業者，除了供應有機蔬果給各大量販店、超市之外，還經營以聖德科斯為名的有機連鎖店。統一集團同時著手建立網路下單通路，搶攻全省有機市場，未來消費者可以透過網路下單，再由統一集團的宅配系統宅配到家，消費者「不必出門就可以吃到有機食品」。

在大台北地區的「綠色小鎮」、「棉花田有機園地」、「有機緣地」等，都是較具規模的有機連鎖店，有機產品貨色齊全，是我常光顧的採買基地。

另外，新竹關西華光智能發展中心附設望德園、高雄愛德園，也是國內有機耕種和有機飲食的重要推動者。他們供應的蔬果也很令人放心。

經過許多人多年的努力，有機農業和有機專賣店可以說是蓬勃發展，現在要吃有機蔬果比以前方便多了。我也真心盼望有更多生產者和消費者加入有機的行列。

讓我們所愛的這片土地，生機盎然；這片土地上的人，健健康康。

PART 1
準備篇

在這本食譜裏，我們會用到全植物高湯、發芽的種子和芽菜，所以先說明它們的做法，其實也都很簡單，跑一次有機商店，萬事OK。

全植物高湯

我喜歡用植物熬高湯，營養豐富、容易消化，身體的負擔也比較少。我常利用週末熬一鍋高湯，等放涼了再用保鮮盒、罐，裝好放冷凍庫保存。要打精力湯、濃湯、或煮湯時都拿高湯出來當湯底，既方便美味又吃到更多營養。

材料：

1. 黃豆芽半斤
2. 香菇4兩
3. 牧草梗半斤
4. 有機鳳梨皮
5. 海帶1條
6. 牛蒡半斤
7. 好水3000c.c.

作法：

1. 豆芽洗淨備用
2. 香菇沖洗乾淨，泡熱水備用（泡香菇的水也可以放入湯鍋）
3. 牧草梗洗淨切段拍碎備用（嫩葉留下來打牧草精力湯）。
4. 有機鳳梨洗淨削皮備用（果肉留下來打精力湯）。
5. 海帶洗淨備用（不要泡水）
6. 牛蒡連皮刷洗乾淨，切段備用。
7. 將不鏽鋼鍋加水放進作法1、2、3、4、5、6，煮開後關小火熬煮30分鐘即成。
8. 原材料可再熬一鍋高湯，這次放2000c.c.水即可，一樣熬30分鐘。

發芽的種子和生的堅果

植物是營養最重要的來源，種子又是植物生命的核心，它的營養價值由此可見。每粒種子都含有維他命、礦物質、蛋白質、脂質、以及碳水化合物（澱粉）。種子在發芽過程中會釋出大量能量，產生酵素，經過這樣的化學變化，原來儲存在種子裏的蛋白質、澱粉和脂質，就會轉換成人體必須的維生素、礦物質和氨基酸等營養素。所以如豆類，催出一點小白芽再吃營養更豐富。五穀也都是種子，所以煮飯之前泡一下比較好。

堅果類也是種子。打精力湯時常用到堅果，如核桃、腰果、松子、葵瓜子、甜杏仁（或稱美國杏仁）。堅果含有豐富的蛋白質，而且它的脂質是不飽和脂肪酸，不會造成心血管的負擔。堅果不需要發芽，不過要使用生的堅果。

發芽的方法

1. 首先將要發芽的種子洗淨、泡水、浸泡4---8個鐘頭（視種子大小而定，一般4小時即可，大一點的種子需要時間較長，夏天泡水時間可以縮短，冬天要酌量加長時間）。
2. 再用清水清洗2次，將浸泡好的種子放在乾燥的漏水容器內，蓋上乾淨的濕毛巾或紗布進行催芽，也可以放在催芽袋內。
3. 催芽時應放置陰暗、通風良好的地方，禁止曝曬陽光。每3、4個小時沖水、清洗一次。
4. 如果不是為了吃芽菜，約半天至一天的時間，只要種子冒出一點小白頭就可以了。
5. 如果要吃芽，等芽長到相當長度，移到有光線的地方綠化一兩天，可以產生葉綠素，營養更豐富。

PART 2
早餐篇

早餐是最重要的一餐，應該選擇營養豐富，容易消化，同時能很快吸收的食物。

精力湯、全漿類和濃稠的蔬果汁是最好的選擇。吃這種早餐因為纖維素含量豐富所以不會便秘，而便秘會導致毒素累積，引起很多疾病。

精力湯5杯

精力湯顧名思義，喝了能使你精力充沛，提高免疫力。更重要的是因為排泄順暢，不會有便秘的困擾，皮膚也會變得亮麗有光澤。

室溫是最適合胃腸的溫度，可以在前一天晚上把要用的蔬菜水果從冰箱拿出來，第二天就可以喝到室溫的精力湯。

想喝溫熱的精力湯，可以加溫開水或溫高湯（不要超過50度，以免破壞酵素）。

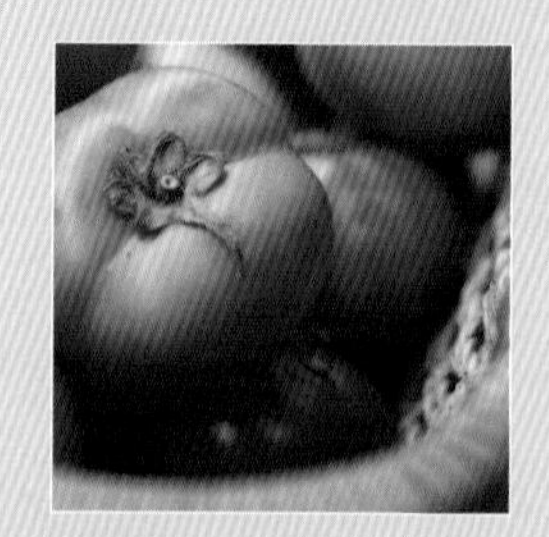

綜合精力湯

作法：

將當季新鮮蔬果、芽苗各二、三種洗淨料理後，依細的軟的在下層，大的硬的在上層的原則，全部放入調理機（果汁機）內，打30秒。

材料：

當季新鮮蔬果、芽苗各二、三種

（例如苜蓿芽、豌豆苗、綠豆芽、蕎麥苗任選；鳳梨、蘋果、奇異果、香蕉、柳丁、芒果、芭樂、酪梨、山藥…任選）。

叮嚀：

1. 水果可食用的部份包括果皮、果瓢、果肉、果核、種子等，儘量保留轉化為濃果汁的形態，可以吸收到更完整的營養和平常不容易吃到的微量元素，這就是全食物營養概念。
2. 我最喜歡用鳳梨、蘋果加奇異果（維他命C、E和鈣含量豐富），口感好、營養豐富。盡量使用當地、當季盛產水果，如夏天多用瓜類，秋冬多用柳丁。
3. 也可加入各種堅果和葡萄乾，視個人喜好而定，不過堅果比較硬，打的時間要酌量加長。
4. 可依個人喜好，酌加糖蜜、蜂蜜或楓糖漿，但我建議儘量少加糖以免增加身體負擔。
5. 如擔心胃寒，可加入薑片或炒過的糙米共同調理，就可改善。

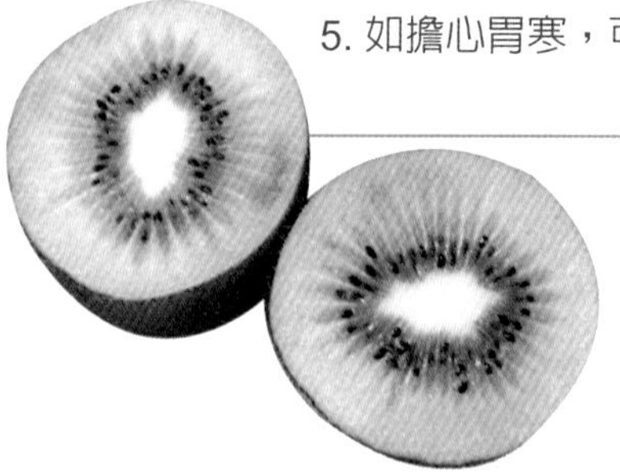

牧草精力湯

材料：
（以三人份為標準參考）

1. 有機牧草葉25g
（30公分長）
2. 有機鳳梨200g
（約1/4個）
3. 有機蘋果200g
（中型蘋果一個）
4. 冷開水3米杯，
或500c.c.

作法：

1. 將有機牧草葉洗淨，備用；有機鳳梨洗淨、去皮、切塊，備用；有機蘋果洗淨、切塊，備用。
2. 將有機鳳梨、有機蘋果依序放進調理機，蓋緊蓋子，打勻後，打開杯蓋，將果汁倒入另一個調理器皿（或大碗）備用。
3. 將30公分的牧草葉剪成三段後放入調理機（勿擠壓），加入冷開水，蓋緊蓋子，啟動電源，打完後，將牧草汁倒出，以細目過濾網濾渣後，再倒入裝有「作法2」果汁的大碗中。
4. 攪拌均勻後，即完成美味又營養的牧草精力湯。

注意：　蘋果的籽含有豐富的鉀，可活化滋潤細胞，但亦含有微量的氫化物，過量會對神經系統造成傷害，所以千萬不可單獨收集蘋果的籽來吃，而且發霉的蘋果籽也不能吃。

對象：　適合全家大小（但是對於高鉀症的洗腎者不宜）。

叮嚀：

1. 牧草、小麥草、明日葉、五葉松等特殊材料之纖維屬粗纖維，而非膳食纖維，必須用細目的過濾網過濾飲用，以免傷及腸胃。
2. 調理牧草精力湯的材料最好使用有機、無污染的食材。
3. 如果蘋果、鳳梨不是當季的水果，可以用其他當令的水果代替。
4. 有機蔬果表皮可能沾有灰塵、細菌或蟲卵，務必仔細洗淨，最好以過濾水清洗，以免蔬果吸收自來水中的氯；為了防止養分流失，也不要在水中浸泡太久。

結球萵苣精力湯

作法：

1. 萵苣洗淨用過濾水或冷開水再沖洗一遍，切大片，備用。
2. 將萵苣、腰果、鳳梨、蘋果、溫高湯依序放入調理機打勻，就完成一杯溫熱的精力湯。

對象： 適合全家大小，特別是希望秀髮烏黑亮麗，或經常肉食的人。

材料：
（以三人份為標準參考）

1. 有機萵苣一顆
2. 有機鳳梨 200g，約 1/4 個
3. 有機蘋果 1 個，切塊 備用
4. 腰果 2 兩
5. 溫高湯 500c.c.（或 50 ˚C溫開水）

營養：

1. 萵苣營養價值極高，萵苣體液含有人體不可缺乏的重要元素，包括大量的鐵和鎂，此外含有３８%以上的鉀，１５%的鈣，９%的磷及硫，能製造神經系統及肺組織細胞，促進新陳代謝作用。另萵苣更含有８０%以上的矽，可助長皮膚、毛髮、指甲發育，常吃可防止毛髮脫落，促進烏黑柔嫩，尤其飲用生汁或生食效果更顯著。適合常吃高熱量、高脂肪食物的人。
2. 也可以用紅蘿蔔取代鳳梨。
3. 這道結球萵苣精力湯有蔬菜、水果、堅果，含有酵素、維生素、蛋白質以及豐富的膳食纖維等營養。

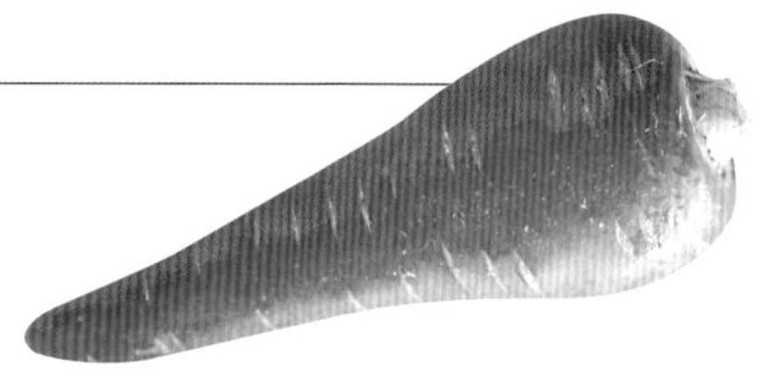

全南瓜腰果精力湯

作法：

1. 有機南瓜用刷子洗淨，切成4塊，放入電鍋內鍋，外鍋放1杯水蒸熟。
2. 將蒸熟的南瓜、腰果、黑芝麻、枸杞子及熱水放入調理機，蓋緊蓋子，打勻後就可以喝到香濃又有營養的全南瓜腰果精力湯。

對象：　適合全家大小，冬天早上喝一杯熱熱濃濃的全南瓜腰果精力湯，一股暖意在心頭，全天都精力充沛。

材料：

（以三人份為標準參考）

1. 有機南瓜（含籽、皮）350g
2. 腰果50g
3. 黑芝麻、枸杞子酌量
4. 熱水500c.c.

營養：

1. 南瓜含豐富的β胡蘿蔔素、維生素C及維生素E，可以提升免疫力，且含豐富的食物纖維，能預防大腸癌。畢勒醫生認為南瓜對肝很好，他經常喜歡用南瓜湯來幫病人調整體質。
2. 南瓜子含有豐富的鋅，可以預防攝護腺肥大。
3. 腰果的脂肪中有60％的油酸可預防動脈硬化，其餘的脂肪中有20％是不飽和的亞麻油酸，可預防中風和心肌梗塞。
4. 枸杞子對肝和眼睛也很好，黑芝麻營養豐富，可視個人口味增減。

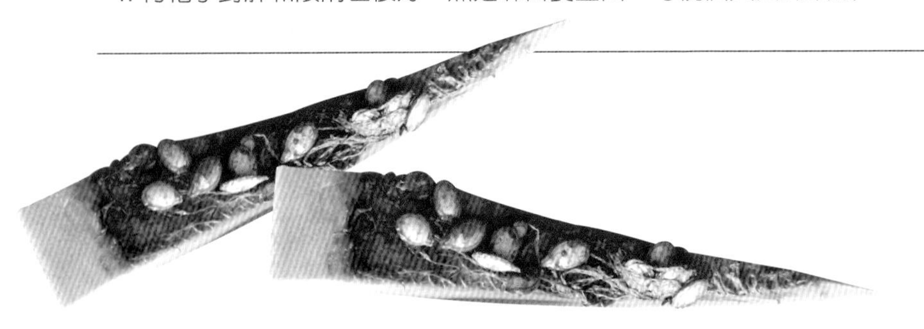

全蓮藕精力湯

材料：

1. 蓮藕兩節
2. 催芽黃豆200g
3. 溫熱高湯或熱開水500c.c.

作法：

1. 將蓮藕洗淨，外皮用菜瓜布擦洗乾淨，切片放電鍋加一杯水蒸熟備用。
2. 將已催芽蒸熟的黃豆先退冰備用。（作法見59頁全黃豆芽漿）
3. 將作法1、2加溫高湯放入調理機容杯中打勻，就成了香濃好喝的蓮藕精力湯。
4. 也可以視個人口味酌加芝麻，營養更豐富。

營養：

1. 蓮藕含有豐富的鐵質、有鎮靜神經的作用，因此用腦過多而感到疲勞的人，可多吃蓮藕。此外，多吃蓮藕還可增強體力、防止神經衰弱及感冒症狀並有利尿功用，可幫助排泄體內滯存的廢物，具淨化血液的功效。
2. 黃豆是所有豆類中營養價值最高的，所含豐富的蛋白質，比穀類要多四至五倍，所含的脂肪為不飽和脂肪酸，容易吸收，又含豐富的磷脂，對生長發育、神經活動都有重要的作用。此外，黃豆所含有的異黃酮素能有效改善婦女更年期症狀。
3. 芝麻是天然食品中少有的高鐵食物，有豐富的營養成分，是病後調養的優良滋補品。芝麻能滋腎補肝，潤肺止喘，潤腸通便，活血生血，烏鬚黑髮，補腦增智。適合便秘、高血壓、腎虛腰痛、風濕關節疼痛和發育中的青少年食用，對神經衰弱也有很好的治療作用。

全漿類4杯

全漿類就是用種子、而且是經過催芽的種子打出來的濃稠漿汁，也是營養豐富的全食物。

全黃豆芽漿

作法：

1. 將有機黃豆洗淨、催芽（催芽方法請見美食PART1準備篇）。
2. 將催好的黃豆芽倒入內鍋（加水至與黃豆平），放在電鍋蒸熟（外鍋放2杯水）。
3. 將蒸熟的黃豆拿出冷卻後，裝保鮮盒放置冰箱冷凍庫保存。
4. 將黃豆芽與冷（或熱）開水及原色冰糖依序放入調理機，打勻後就完成一道美味又營養的全黃豆芽漿。

對象： 適合全家大小，尤其是正值更年期的婦女、體弱的老人和發育中的兒童、青少年，以及常用腦力的人。

材料：
（以三人份為標準參考）

1. 有機黃豆芽1米杯，約200g
2. 開水3米杯
3. 原色冰糖1茶匙

叮嚀：

1. 喜好原味者可免加冰糖。可加入少許吃剩的糙米飯或五穀米飯，可防止脹氣，口感也更滑順。
2. 加入黑芝麻（炒過的顆粒）更香、營養更豐富，也可以視各人口味加入松子、腰果或核桃。
3. 為求方便，可一次浸泡、催芽、煮熟約二星期的用量，再按每次份量，分裝保鮮盒放置冰箱冷凍室備用。
4. 如從冷凍庫取出直接打，加熱水比較不冰涼，風味較佳。如事先已退冰，則可視個人口味添加溫水或冷開水。

全五穀米漿

作法：

1. 將五穀米洗淨、浸泡4個小時後、瀝乾，加入1. 2倍的水放入電鍋煮熟，外鍋放2杯水。
2. 南杏洗淨，用滾水川燙2分鐘後，撈起，放置一旁備用。
3. 將煮熟的五穀米飯、南杏與水及原色冰糖依序置入調理機容杯，蓋緊蓋子，打勻後，就完成一道美味又營養的五穀米漿。

對象： 適合全家大小。

材料：

（以三人份為標準參考）

1. 五穀米（糙米、小米、蕎麥、燕麥、黑糯米）1米杯
2. 南杏0.5米杯
3. 冷開水3米杯（冬天如要喝熱的，可以把冷開水3米杯改成熱開水3米杯）
4. 原色冰糖1茶匙

營養：

1. 五穀米漿健脾養胃、補虛健體，可以提高免疫力，促進腸胃蠕動。
2. 南杏具有去痰止咳平喘及潤肺的功效，不過也有微毒，不要大量吃。

叮嚀：

1. 喜好原味者可免加冰糖、南杏。
2. 為求方便，可一次浸泡、煮熟約二星期的用量，再按每次份量，分裝保鮮盒放置冰箱冷凍室備用。
3. 如果昨晚有吃剩的五穀米飯就可直接當作材料，既方便又解決剩飯的問題。

杏仁全豆奶

作法：

1. 將已催芽蒸熟的黃豆自冰箱取出，先退冰。
2. 杏仁片以滾水川燙 2 分鐘後撈起。
3. 將黃豆、杏仁片、少許冰糖和溫開水放入調理機容杯，打勻即可。
4. 可依個人口味加上芝麻點綴。

材料：

1. 已發芽的有機黃豆 1 米杯
2. 杏仁片（南杏）半米杯
3. 原色冰糖適量
4. 溫開水 3 米杯

營養：

1. 黃豆經過浸泡催芽後，含有豐富的優質蛋白質，是素食者最佳的蛋白質來源。其中的亞麻仁油酸能防止血液黏稠，預防動脈硬化，而且黃豆中的卵磷脂，能分解膽固醇，適合高脂血症及動脈硬化病人日常保養用。
2. 黃豆還含有植物雌激素（異黃酮素），能預防與激素失衡有關的症狀，例如乳癌、攝護腺癌。還可以減輕更年期潮紅熱及情緒不穩的現象。
3. 最近的研究發現黃豆含硒元素，有抗癌、抗衰老作用。另外它還含有多量的磷，有益腦神經健康，預防腦神經老化。

4. 杏仁具有怯痰止咳、平喘、潤腸作用，不僅可改善痰多喘咳、腸燥便秘、產後便秘，也具有潤澤肌膚的功效。也由於所含的脂肪幾乎都屬不飽和脂肪酸，所以能去除膽固醇、預防動脈硬化、心臟病。

百合銀耳漿

作法：

1. 銀耳洗淨泡水20分鐘，備用 。
2. 乾百合泡水1小時，洗淨備用。
3. 將銀耳百合加冰糖，加一碗水置電鍋煮15分鐘即可。
4. 將煮好的銀耳百合及湯汁放入調理機，蓋緊蓋子，打完就變成一道美味又營養的百合銀耳漿。

對象： 適合全家大小。尤其是氣管衰弱、體弱的老人和常抽菸的人，以及愛美的女性。

材料：

（以三人份為標準參考）

1. 銀耳60克
2. 乾百合20克
3. 冰糖40克
4. 水500c.c.

營養：

白木耳和靈芝一樣是菇菌類一種，含鍺元素和多醣體，具有抑制癌症的作用。同時它能降血壓，滋補、清熱、潤肺，而且容易消化，具有美容養顏的效果。

蔬果蜜6杯

濃濃稠稠的蔬果泥因為透過調理機攪打，細胞壁被擊破，營養全部釋放出來，吃起來綿密順滑，香香甜甜，我叫它蔬果蜜。

鳳梨香蕉蘋果蜜

材料：
（以三人份為標準參考）

1. 香蕉一條
2. 有機鳳梨200g
   約 1/4 個
3. 有機蘋果200g
   約中型蘋果一個

作法：

1. 將有機鳳梨洗淨、去皮、切塊，備用。
2. 將有機蘋果洗淨、切塊，備用。
3. 將香蕉、鳳梨、蘋果依序放入調理機打勻，就成了濃濃稠稠的鳳梨蘋果香蕉果蜜，因為是水果泥所以有飽足感又香甜好吃。

對象：　適合全家大小（但是對於高鉀症的洗腎者不宜），小朋友特別喜歡。

營養：

1. 香蕉能止咳化痰，潤腸通便，健脾養胃，對肺燥咳嗽，大便乾燥，痔瘡出血的人有幫助。
2. 鳳梨含有鳳梨酵素，酵素中的酶可將蛋白質分解成氨基酸，能把阻塞於血管和器官組織內的血塊溶解、清除；而且鳳梨的心含有豐富的錳，可以預防骨質疏鬆症。
3. 蘋果含有蘋果酸、鞣酸等多種有機酸及豐富的果膠，不但可以軟化糞便、幫助排泄，同時又有吸附細菌、毒素及保護腸壁的作用；而且蘋果的籽含有豐富的鉀，可活化滋潤細胞及平衡鈉含量（但是蘋果的籽亦含有微量的氫化物，過量會對神經系統造成傷害，所以千萬不可單獨收集蘋果的籽來吃，而且發霉的蘋果籽也不能吃）。

全杏仁水果蜜

材料：

（以三人份為標準參考）

1. 杏仁果 50g
   （美國甜杏仁）
2. 有機鳳梨 200g
   約 1/4 個
3. 有機蘋果 200g
   約中型蘋果一個

作法：

1. 將杏仁果用熱水泡 15 分鐘後、去皮，備用。
2. 將有機鳳梨洗淨、去皮、切塊，備用；將機蘋果洗淨、切塊，備用。
3. 將去皮杏仁果、鳳梨、蘋果依序放入調理機，打勻。
4. 將調理好的全杏仁水果蜜倒出，即可享用。

對象： 適合全家大小（但是對於高鉀症的洗腎者不宜），我家的小朋友最喜歡這一道，上學前來一杯，真的頭好壯壯，心情愉快。

營養：

1. 杏仁含有著名的抗緊張礦物質---鎂，鎂可以讓人心情平靜、愉悅。增加鎂的攝取，能有效改善經前症候群的諸多不適症狀，還有降低血壓的功效。
2. 鳳梨含有鳳梨酵素，酵素中的酶可將蛋白質分解成氨基酸，能把阻塞於血管和器官組織內的血塊溶解、清除；而且鳳梨的心含有豐富的錳，可以預防骨質疏鬆症。
3. 蘋果含有蘋果酸、鞣酸等多種有機酸及豐富的果膠，不但可以軟化糞便、幫助排泄，同時又有吸附細菌、毒素及保護腸壁的作用；而且蘋果的籽含有豐富的鉀，可活化滋潤細胞及平衡鈉含量（但是蘋果的籽亦含有微量的氫化物，會對神經系統造成傷害，所以千萬不可單獨收集蘋果的籽來吃，而且發霉的蘋果籽也不能吃）。

叮嚀：

調理過程中，如果加入 200c.c-300cc.的水一起調理，即成一道美味又可口的全杏仁水果奶昔。

芝麻香蕉果蜜

作法：

將芝麻、剝皮香蕉、開水依序放入調理機中打勻即成。

對象： 適合全家大小，香甜可口。

材料：

（以三人份為標準參考）

1. 芝麻
   （催芽營養更豐富）
   三湯匙（平匙）
2. 香蕉三條（如用芭蕉則要六條）
3. 溫開水、溫高湯或涼開水 500c.c.

營養：

1. 芝麻含有豐富的不飽和脂肪酸和芝麻木質素等，能抑制膽固醇、脂肪，防止高血壓、動脈硬化等心血管疾病發生，所含豐富的維生素 E，有抗氧化及延緩老化的功效。此外，多吃芝麻亦能使頭髮常保烏黑亮麗，芝麻也是少數含有鐵的植物。
2. 香蕉含有豐富的碳水化合物、澱粉、各種維生素、鈣、鐵和果膠等多種營養成分，可有效改善便秘、煩渴等症狀，而且香蕉易於消化的特質，非常適合小孩及病人食用。

番茄蔬果蜜

材料：

（以三人份為標準參考）

1. 番茄兩顆
2. 有機鳳梨200g
   約1/4個
3. 有機蘋果200g
   約中型蘋果一個

作法：

1. 將番茄洗淨，用熱開水浸泡一下，去蒂，切塊，備用。
2. 將有機鳳梨洗淨、去皮、切塊，備用；將有機蘋果洗淨、切塊，備用。
3. 將番茄、鳳梨、蘋果依序放入調理機容杯，打勻。
4. 將調理好的番茄鳳梨蘋果蜜倒出，即可享用。

對象： 適合全家大小（但是對於高鉀症的洗腎者不宜）

營養：

1. 番茄含有豐富的茄紅素和維他命C能預防心血管疾病、養顏美容。同時它含有穀胱甘，能降低罹患癌症的風險，也有抗老化的作用。它還含有合成細胞所需要的葉酸、降血壓的鉀，以及能整腸健胃的有機酸。它能增加血液的鹼度,並有助於清除人體系統內的毒素,尤其是尿酸。番茄和其他綠色蔬菜打成綜合的蔬菜汁，具有很好的淨化腎臟的功能。例如番茄跟有機高麗菜和芹菜一起打汁，可以幫助改善胃潰瘍症狀，也可改善便秘現象。
2. 鳳梨含有鳳梨酵素，酵素中的酶可將蛋白質分解成氨基酸，能把阻塞於血管和器官組織內的血塊溶解、清除；而且鳳梨的心含有豐富的錳，可以預防骨質疏鬆症。

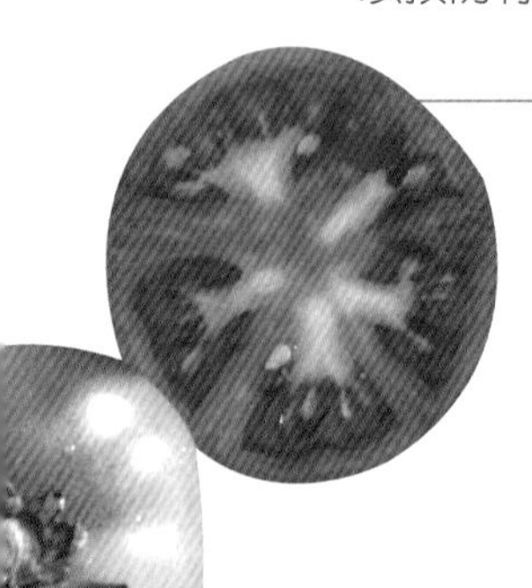

紅蘿蔔蔬果蜜

材料：

（以三人份為標準參考）

1. 中型紅蘿蔔一條
2. 有機鳳梨200g
   約1/4個
3. 有機蘋果200g
   約中型蘋果一個

作法：

1. 將紅蘿蔔洗淨，外皮用刷子刷乾淨，不要刮掉，切塊，備用。
2. 將有機鳳梨洗淨、去皮、切塊，備用；將有機蘋果洗淨、切塊，備用。
3. 將紅蘿蔔、鳳梨、蘋果依序放入調理機，打勻。
4. 將調理好的紅蘿蔔蔬果蜜倒出，即可享用。

對象： 適合全家大小（但是對於高鉀症的洗腎者不宜）

營養：

1. 紅蘿蔔含有豐富的β紅蘿蔔素，紅蘿蔔素被人體吸收後能轉變成維生素A,可保護眼睛和皮膚的健康。β紅蘿蔔素也可以獨立作用，發揮抗氧化的功能，清除自由基，進而防癌抗老化。紅蘿蔔還含有豐富的膳食纖維,即使在水煮後,仍有一半的水溶性纖維。紅蘿蔔汁是一種非常好的健康飲料,醫師通常會給患有重病的患者飲用紅蘿蔔汁,或把它作為治療癌症食譜的基本飲料。不過紅蘿蔔內有一種叫抗壞血酸氧化酶的酵素，跟其他蔬果一起打成果菜汁時，會破壞其他果菜中的維生素C。
2. 鳳梨含有鳳梨酵素，酵素中的酶可將蛋白質分解成氨基酸，能把阻塞於血管和器官組織內的血塊溶解、清除；而且鳳梨的心含有豐富的錳，可以預防骨質疏鬆症。
3. 如果加薑一起打，可以幫助孕婦止晨吐。

粉紅水果蜜

作法：

1. 將火龍果洗淨，切塊，備用。
2. 香蕉剝皮。
3. 將火龍果、香蕉、開水依序放入容杯中打勻。
4. 將打成粉紅色的濃稠果蜜到出來就可以享用。

對象： 適合全家大小，香甜可口。

材料：

（以三人份為標準參考）

1. 紅色果肉火龍果一粒（中大型）
2. 香蕉兩條（如用芭蕉則要四條）
3. 溫開水、溫高湯或涼開水300c.c.

營養：

1. 火龍果含天然果膠、維他命C及水溶性膳食纖維等營養素，所含的礦物質鎂能穩定情緒，緩和焦慮，加上它的糖分少、熱量低，很適合糖尿病患或肥胖者食用。
2. 香蕉含有豐富的碳水化合物、維生素、鈣、鐵和果膠等多種營養成分，可有效改善便秘、煩渴等症狀，加上香蕉易於消化的特質，非常適合小孩及病人食用。

全果汁 4 杯

水果可食用之部份包括果皮、果瓢、果肉、果核、種子等，儘量保留轉化為濃果汁的形態，可以吸收到更完整的營養和平常不容易吃到的微量元素，這就是全食物的營養概念。

全葡萄汁

材料：
（以一人份為標準參考）

1. 有機葡萄 20 粒
2. 冷開水 150c.c.

作法：

1. 將葡萄洗淨放入調理機中打勻。
2. 將打出來的濃稠果汁倒出來，就可以享用連皮帶子打出來的全葡萄汁。

對象：　適合全家大小，特別適合兒童、婦女或體質虛弱的人食用。

營養：

1. 葡萄含醣類、蛋白質、維生素、礦物質等，味道酸甜可口，易消化吸收，且具有舒筋活血，健胃強身功效。而葡萄籽中所含豐富的原青花素、抗氧化的功效比維他命 C 高 18 倍，比維生素 E 高 50 倍，可說是真正的抗氧化巨星。

全西瓜汁

材料：

（以三人份為標準參考）

紅肉西瓜去綠皮900克

作法：

1. 西瓜切塊備用。
2. 連白色瓜瓤帶子，置入調理機打勻。

對象：　西瓜是最自然的天然飲料，而且營養豐富，對人體益處多多。雖然西瓜優點很多，但也不可大量或長期吃，以免副作用。

營養：

1. 西瓜果肉（瓤）有清熱解暑、解煩渴、利小便、解酒毒等功效，對一切熱症、暑熱煩渴、小便不利、咽喉疼痛、口腔發炎、酒醉有相當好的效果。
2. 西瓜子有清肺潤肺功效，和中止渴、助消化，可治吐血、久嗽。籽殼用治腸風下血、 血痢。

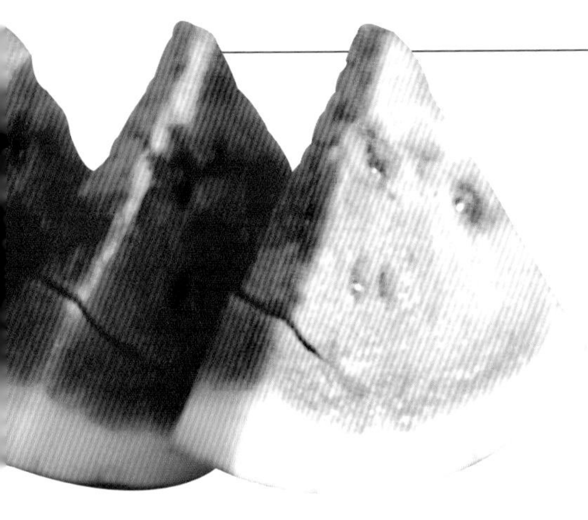

全香瓜汁

材料：

（以三人份為標準參考）

香瓜900克

作法：

1. 香瓜洗淨切塊備用（去皮留子。如為美濃瓜，即可連皮和子一起打）。
2. 置入調理機打勻。
3. 將打出來的果汁倒出即可聞到香瓜汁濃郁的香味。

營養：

香瓜甘甜芳香，果體含極豐富的天然醣質、維他A.C，生食可解熱、止渴、淨化血液、利尿、潤肺。經常身心倦怠，心神浮躁不安、口臭者食之具有清熱解躁之效，但體質虛寒，大便湯瀉或水腫的人少吃。香瓜種子含脂肪油，和瓜肉一起打，更加香甜可口。

柳丁百香果汁

作法：

1. 柳丁切4塊，去皮、水果刀從中劃開即可輕鬆去子。
2. 百香果切半將子和果肉挖出。
3. 將去皮切塊的柳丁果肉，和百香果肉置入調理機內打勻。

材料：

（以三人份為標準參考）

1. 柳丁2個
2. 百香果2個
3. 水250c.c.

1. 柳丁中含有豐富的維他命C及纖維，對消化不良或便秘的人很有幫助。它的果肉滋潤健胃。果皮化痰止咳，健脾胃。子具消腫止痛功效。不過柳丁的皮和子有苦味，所以去除後果汁風味較佳。如果不怕苦味，也可以一起打成黏稠果汁，營養更豐富。
2. 百香果含豐富的維他命ＡＢＣ醣類、蛋白質、脂肪、礦物質等，它的功效有止渴、幫助消化、滋潤肌膚。在選購百香果時最好挑選顏色較深的。
3. 百香果子不易消化，打成汁後，比較容易消化吸收。

早餐的搭配建議

全麥三明治材料

精力湯或蔬果蜜＋全麥麵包、三明治

由於精力湯和蔬果蜜含有水果、蔬菜、芽菜和堅果，酵素、維生素、碳水化合物和蛋白質都非常豐富，已經是相當完整的食物。如果份量還不足，可以加一片全麥麵包，或一粒水煮蛋。也可以加一份生菜、Cheese 三明治。

全麥三明治

全漿類＋生菜水果手卷

全漿類通常富含碳水化合物、蛋白質和微量元素、膳食纖維，可是比較缺乏酵素、維生素，加上一份生菜三明治或生菜水果手卷，營養就更完整了。

精力湯＋全麥三明治

生菜水果手卷

材料：

1. 苜蓿芽、碗豆芽或其他芽苗任選兩種
2. 紅黃甜椒切絲
3. 蘋果切手指狀粗條
4. 壽司海苔切成 3--5 公分寬長條
5. 杏仁醬（作法見美食 PART3 調味醬篇）
6. 全麥麵皮用電鍋或炒菜鍋溫熱一下

生菜水果手卷材料

作法：

1. 全麥麵皮攤平，將海苔直放在中間。
2. 將苜蓿芽橫放麵皮前端，舖平。
3. 依序舖上碗豆芽、紅黃甜椒絲、蘋果條。
4. 抹上醬料，用麵皮將材料捲成潤餅狀切段食用。
5. 全麥麵皮如放置冰箱冷藏或冷凍，須先蒸幾分鐘變軟再使用，可將電鍋外鍋洗淨，直接將麵皮放在裡面，噴一點水，按下開關，跳起即可。

生菜水果手卷

PART 3
調味醬篇

吃麵包、三明治和沙拉都

要用到調味醬，自己打的

醬又新鮮、又營養，而且

完全不添加任何防腐劑，

吃起來更安心，當然還有

媽媽的愛心。

桑椹醬

作法：

1. 將有機桑椹蜜餞及有機減糖桑椹原汁依序放入調理機打勻。
2. 將調理好的醬料用刮棒倒出，就完成一道美味又可口的桑椹醬。

對象：　適合全家大小。

材料：
（以三人份為標準參考）

1. 有機桑椹蜜餞 300g（半包）
2. 有機減糖桑椹原汁 1 瓶（600c.c.）

營養：

桑椹能滋陰補血、補肝益腎、生津止渴、提升免疫力，對風濕症、便秘有幫助，當然也能美容養顏。

叮嚀：

1. 這是一道自製的桑椹醬，可以塗麵包、當沙拉醬，沾什麼都好吃。在我家是最受歡迎的飯後甜點。
2. 用容器裝好放進凍箱冷凍就成了桑椹冰淇淋（見附圖照片）。而且完全沒有添加任何防腐劑，可以放心食用。

杏仁醬

作法：

1. 將杏仁果放入烤箱中，以180度烤15分鐘後，放置一旁待涼。
2. 將烤熟的杏仁果及2匙紅冰糖放入調理機打勻。
3. 將調理好的醬料用刮棒倒入容器內，就是一道自製杏仁醬。

對象：　適合全家大小，香甜可口，老少咸宜。

材料：

（以三人份為標準參考）

1. 烤熟的杏仁果（美國甜杏仁）400g
2. 原色冰糖2匙（Table spoon）

營養：

杏仁含有著名的抗緊張礦物質－鎂，鎂可以讓人心情平靜、愉悅。增加鎂的攝取，能有效改善經前症候群的諸多不適症狀，還有降低血壓的功效。

叮嚀：

這道自製的杏仁醬，香甜柔滑，用來塗麵包，做潤餅或全麥手捲的醬料，口感特別好。最棒的是完全沒有添加任何防腐劑，可以放心食用。甜度也可以隨個人喜好增減。吃不完可以放冰箱，最好一星期內吃完。這道杏仁醬也可以變身為可口的冰沙。

涼麵醬

作法：

1. 將自製杏仁醬、冷開水、有機醬油及烏醋依序放入調理機打勻。
2. 再加入蒜瓣放入調理機打勻。
3. 將調理好的醬料用刮棒倒入容器內，即可完成一道自製涼麵醬。

對象：　適合全家大小。

材料：
（以三人份為標準參考）

1. 自製杏仁醬5大匙
2. 冷開水少許
3. 有機醬油少許
4. 烏醋少許
5. 蒜瓣5個

叮嚀：

這道自製涼麵醬，用杏仁加調味料做成，可以拌麵，當蔬菜醬料，也是一道別具風味的沙拉醬。當然它完全沒有不含防腐劑，可以放心食用。

豆腐美乃滋

材料：

（以三人份為標準參考）

1. 有機豆腐300g
   （傳貴豆腐）
2. 原色冰糖2大匙
3. 檸檬1～2顆
4. 酸黃瓜少許，視個人喜好，加或不加皆可

作法：

1. 將有機豆腐、原色冰糖依序置入調理機打勻。
2. 將檸檬洗淨、切半，把檸檬汁擠入調理機（擠檸檬時請以細目過濾網隔開，以防檸檬籽掉入）。
3. 將調理好的豆腐美乃滋用刮棒倒入調理器皿中，即可完成一道美味又可口的豆腐美乃滋。

對象：　適合全家大小。

叮嚀：

1. 這是一道自製的美乃滋，而且是用營養的有機豆腐做成，完全沒有添加奶油、防腐劑，請放心食用。
2. 可用作生菜沙拉的佐料、或魚排佐料，鮮美可口又營養。
3. 加入切碎的酸黃瓜，風味更特別，可用作洋芋片、餅乾、墨西哥餅等佐料，避免吃進太多油脂或高鹽食物。

鹹沙拉醬

材料：
（以三人份為標準參考）

1. 有機芭樂 1 顆（約 350g）
2. 有機味噌 2 大匙
3. 有機老薑少許（約 25g）
4. 有機胡蘿蔔 25g
5. 有機鳳梨 50g

作法：

1. 有機芭樂洗淨、去籽後切塊，備用；有機老薑洗淨切段，備用；有機胡蘿蔔洗淨切段，備用。
2. 將芭樂、味噌、薑及胡蘿蔔一同置入調理機打勻，將攪拌好的醬料倒入調理器皿中，即可完成一道健康又美味的沙拉醬。

對象：　適合全家大小。

營養：

1. 有機芭樂含有豐富的鉀及維生素 C。
2. 有機味噌含有亞油酸能降低膽固醇，預防動脈硬化、高血壓、心臟病等功效，還含有異黃酮、維生素 E 可預防骨質疏鬆症。
3. 有機老薑可降血脂，保護胃黏膜、治感冒、防孕吐、改善手腳冰冷，調成溫性體質。
4. 胡蘿蔔含有 β 胡蘿蔔素，能抑制自由基，及強化皮膚黏膜組織。

叮嚀：

1. 這是一道無油，以水果、味噌為主做成的鹹沙拉醬，可用來沾生菜、壽司，也可以塗抹在吐司或法國麵包上，風味絶佳。
2. 依個人口味，可加入少許的冷壓芝麻油提味。

PART 4 午、晚餐篇

我最喜歡涼拌菜，因為它是標準的無油煙菜餚。常常是川燙一下，加入酌料或醬料就可以上桌，絕沒有過度烹煮以致營養流失的問題，所以非常符合我快速、簡單、營養、好吃的要求，也是我突然有客人來用餐時的救命法寶。

涼拌海蜇皮

作法：

1. 海哲皮泡水3--4小時，讓它變軟。
2. 用溫水汆燙海哲皮，約半分鐘，撈出，切絲，備用。
3. 小黃瓜、紅蘿蔔洗淨切絲，大蒜切細末，備用。
4. 將所有材料拌入醬料，混合均勻，就可以上桌。

叮嚀：

1. 海蜇皮因產地不同，厚薄不同，所以泡水汆燙時間略有不同，可於購買時詢問店家。
2. 這是我家最喜歡的一道開胃菜。因為海哲皮對肝好，又沒有油脂，吃起來爽口，做起來簡單，相信你也會喜歡。

材料：

1. 海蜇皮（三張）
2. 小黃瓜一條
3. 紅蘿蔔1/3條（中型）

調味料：

醬油、香油、醋、純米霖、鹽少許

涼拌海鮮

作法：

1. 蝦仁挑除泥腸，放入滾水中燙10秒，撈出，放冰水中冰鎮10分鐘。
2. 墨魚切交叉斜紋，放入滾水中燙30秒，撈出，放冰水中冰鎮。
3. 蕃茄汆燙一下切小丁，小黃瓜切圓片。
4. 將蝦仁、墨魚撈起，用紙巾吸乾水分。
5. 所有材料加入調味料，檸檬切半擠汁，拌均勻，就可以盛盤上桌。

材料：

1. 蕃茄一個
2. 小黃瓜一條
3. 墨魚一隻（半斤左右）
4. 蝦仁四兩

配料：

香菜少許、大蒜3粒、檸檬

調味料：

柑攬油2匙、蠔油2匙、純米霖2匙、醋

叮嚀：

1. 番茄是海鮮的最佳搭擋，蝦子冰鎮後的爽脆，加上蕃茄的酸甜滋味，想起來就流口水。這道菜有紅、有綠、有白顏色也很漂亮，可以說是色香味具全。
2. 不喜歡吃墨魚也可以用其他魚片代替
3. 也可以增加蕃茄和小黃瓜的量，這樣就可以多吃一點蔬果，少吃一點海鮮。
4. 也可以用西洋櫛瓜代替小黃瓜，風味更道地。

山藥鱈魚肝

材料：

1. 日本山藥半條
2. 洋蔥半個（中大型）
3. 鱈魚肝罐頭一個

調味料：

和風沙拉醬

作法：

1. 山藥切小指粗細，過一下冷水。
2. 洋蔥切絲放冰箱冷藏四小時，去辛辣味並增添脆度。
3. 將山藥和洋蔥放盤中拌上和風沙拉醬 。
4. 將鱈魚肝罐頭打開，將鱈魚肝均勻放在已拌好的山藥洋蔥上就大功告成了。
5. 也可加上青、紅、黃椒點綴。

叮嚀：

1. 這道菜非常爽口又有營養，秘訣在洋蔥一定要放冰箱去除辛辣味（不要蓋保鮮膜），可以在前一晚先切好放進冰箱，要用時再拿出來。
2. 根據本草綱目，山藥可滋補脾腎，強壯筋骨，養胃助消化，還可以止洩。現代醫學研究認為山藥可以增強免疫機能和抗癌能力，是很健康的食物。山藥可以生食也可以熟食，風味都不錯。生食用日本山藥比較不易變色，口感也比較好。

五彩雞柳

作法：

1. 將美生菜一片片沖洗乾淨，瀝乾水分，備用。
2. 雞胸肉切手指粗細條狀，用蠔油醃一下入味。
3. 紅、黃、青椒洗淨，切1公分寬長條備用。
4. 蘋果洗淨，如非有機蘋果須去皮，切手指粗細條狀，備用 。
5. 木耳洗淨，切1公分寬長條，備用。
4. 炒菜鍋先熱鍋，在鍋內抹一點油，將已入味的雞柳放入拌炒一下，約兩分鐘雞肉已熟即可盛起 。
5. 利用鍋中餘油將木耳放入，翻炒幾下，加一點點鹽，即可起鍋。
6. 將雞柳，蘋果條，及紅、黃、青椒條、木耳絲依序放美生菜上，擺盤，就是一道美味可口又營養好吃的佳餚。

叮嚀：

1. 我們每天最好都要吃到不同顏色的蔬菜，這道菜有紅、黃、綠、白、黑，五種不同顏色，而且有葷有素，有生食有熟食，本身就十分均衡。
2. 也可以加上一些生芽菜，讓這道菜內容更豐富

材料：

1. 雞胸肉一個
2. 紅椒、黃椒、青椒、蘋果各一個
3. 木耳兩片
4. 美生菜數片（視人數而定）

調味料：

蠔油一匙

鹽少許

芙蓉蝦仁

材料：

1. 芙蓉豆腐兩盒
2. 蝦仁一兩，蔥兩根

調味料：

芙蓉豆腐內附酌料，或鮮美露

作法：

1. 蝦仁挑除泥腸，放入滾水中燙10秒，撈出，放冰水中冰鎮10分鐘。
2. 豆腐撕去包裝，倒入小盤中，一人一份（如果覺得份量太多可將一塊豆腐切成兩半，一人半塊）。
3. 將芙蓉豆腐所附酌料均勻倒在每份豆腐上。
4. 蔥綠色部分切蔥花，均勻放在豆腐中心點，再放上蝦仁即大功告成。

叮嚀：

1. 這道菜夏天吃起來非常爽口，再加上一點巧思擺得美美的，就可以拿來待客，而作法卻非常簡單。
2. 如果突然有客人來，或是準備的菜量不足，這道菜很快就可以搬上檯面。

酪梨沙拉

材料：

1. 酪梨一個
2. 中型紅蘿蔔半條
3. 馬鈴薯一個
4. 蝦仁一兩

調味料：

豆腐美乃滋（作法見美食PART3調味醬篇）

作法：

1. 蝦仁挑除泥腸，放入滾水中燙10秒，撈出，放冰水中冰鎮10分鐘。
2. 酪梨切半，去核，備用。
3. 紅蘿蔔、馬鈴薯切丁蒸熟或煮熟。
3. 將煮熟的紅蘿蔔、馬鈴薯丁、和蝦仁用豆腐美乃滋拌勻，再放進酪梨凹處就完成了。

叮嚀：

1. 酪梨被認為可以美膚養顏，抗老化，這和它所含有營養有關：酪梨含有β-胡蘿蔔素、維生素B群、C、E、必需脂肪酸與多種礦物質。 酪梨的脂肪含量特別高（可食部份約含有10％的脂肪）。但是這些脂肪的主要成份，是對人體有好處的單元不飽和脂肪酸及必需脂肪酸，所以有利於血脂肪的控制。也因為這樣，使得酪梨脂溶性維生素（如維生素E與β-胡蘿蔔素等）的含量比其他的水果高而又更好吸收；而水溶性維生素（如維生素B群與C等）的含量卻不遜於其它水果。和其它的水果一樣，酪梨也含有豐富的膳食纖維與鉀、鎂等礦物質。也就是說，一般水果有的優點，酪梨都有；而一般水果沒有的優點，酪梨更多。
2. 所以夏天中午吃不下飯，這道菜就可以是營養豐富的一餐。它也可以當開胃前菜或沙拉，不過酪梨就要選中小型的，否則這道菜吃下去就飽了。

蘿勒番茄

作法：

1. 有機小番茄沖洗乾淨備用。
2. 蘿勒葉洗淨備用。
3. 在有機小番茄尾端切一小縫，放進葡萄乾和蘿勒葉就完成了。

材料：

1. 有機小番茄
2. 蘿勒葉（九層塔）
3. 有機葡萄乾

叮嚀：

1. 這道菜是小品，可以當開胃前菜，也可以當主菜或沙拉拼盤的圍邊、裝飾 。
2. 這道菜的風味非常特殊，造型討喜，很適合過年或節慶餐點，尤其吃多了油膩，這道菜可以清清腸胃，帶來豐富的維他命、茄紅素和酵素 。

涼拌海帶芽（海麒麟、木耳）

作法：

1. 海帶芽泡水30分鐘、洗淨。
2. 薑切絲，備用 。
3. 將海帶芽放進滾水中汆燙2分鐘，撈起。
4. 將海帶芽、薑絲和調味料拌勻，再灑上芝蔴即成 。

材料：

1. 海帶芽15g
2. 薑
3. 白芝蔴

調味料：

醬油4匙

醋2匙

果糖或蜂蜜半匙

冷壓芝麻油少許

叮嚀：

1. 海藻類含有非常豐富的碘，對缺碘引起的甲狀腺腫大很有幫助。同時海帶中含有一種褐藻氨酸，有很好的降血壓作用。對消除水腫和便秘也有不錯的效果。
2. 可以用同樣的方法來涼拌木耳和海麒麟。海麒麟也是一種海藻類。至於黑木耳，可滋腎補肺，養肝安神，幫助通便，減少痔瘡出血。現代醫學研究認為它鐵的含量比肉類高100倍，鈣的含量是肉類的30---70倍，維生素B2比肉類高3-5倍，營養價值很高。對降低血脂、膽固醇和高血壓有幫助，對防治動脈硬化、神經衰弱和癌症也有不錯的效果。

涼拌海麒麟

涼拌木耳

芝麻大陸妹

作法：

1. 大陸妹洗淨、瀝乾、備用。
2. 將大陸妹整齊排在盤子上，在中間澆上約五公分寬涼麵醬，再灑上白芝蔴即成。

材料：

1. 大陸妹兩棵
2. 白芝麻

調味料：

涼麵醬 （作法見美食PART3 調味醬類）

叮嚀：

1. 大陸妹屬於萵苣類，種植容易又沒有蟲害，所以適合生食。同類的 A 菜也可以用這種方法料理。
2. 這是中式生菜沙拉，口感和風味都不錯，利用假日做好醬料，洗乾淨青菜，冰在冰箱，下班回家，幾分鐘就可以上菜。
3. 醬料內有堅果、大蒜、再加上芝麻，這道菜即使晚上吃也不算寒涼。

芝麻牛蒡

材料：

1. 牛蒡一根
2. 白芝麻

調味料：

黑糖

醬油

作法：

1. 牛蒡保留外皮，用刷子或菜瓜布搓洗乾淨，切成約0.3公分厚斜片。
2. 將牛蒡放滾水中煮約兩、三分鐘，水只要跟牛蒡平即可。
3. 加入黑糖及醬油，煮到收汁即可。
4. 將煮好的牛蒡倒出，灑上芝蔴，最好讓每片牛蒡都沾上厚厚的芝蔴，吃起來口感非常好。

叮嚀：

1. 牛蒡含蛋白質、脂質、纖維、鈣、磷、鐵、鉀、維他命B及維他命C等養分，尤其富含菊糖並且含有其他特殊成份及獨特之風味，深受日本人所喜愛。
2. 日本人將牛蒡視為植物威爾剛，所以日本太太買牛蒡都要放在菜籃底下，以免鄰居看到不好意思。
3. 牛蒡含有高量纖維,對於刺激腸壁、促進消化、幫助排泄有很大的功效。

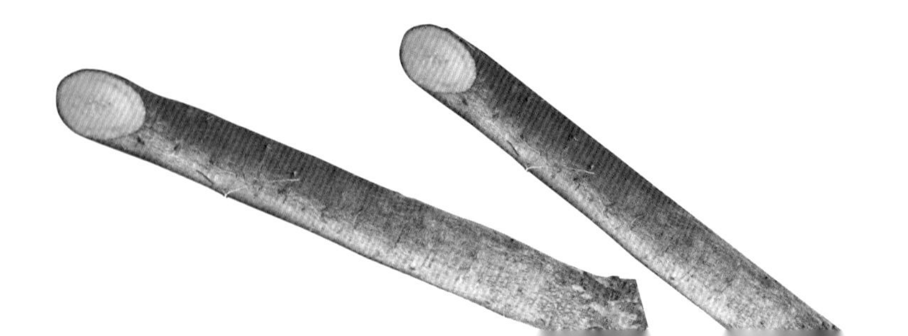

香椿豆皮

作法：

1. 豆皮洗淨，切小塊，用蠔油醃20分鐘。
2. 香椿摘下葉片，洗淨，切碎。
3. 鍋中放300c.c.水煮滾，將盤中之豆皮和蠔油放入，待煮滾，放進香椿，.加一匙藕粉勾芡，淋上香油，即可起鍋 。

叮嚀：

1. 香椿葉如葉子較老，可撕下葉片，去除葉脈。
2. 買不到香椿葉可以香椿醬代替，約三小匙。

材料：

1. 有機豆皮一包（6片）
2. 香椿2兩

調味料：

蠔油（或醬油）2匙

香油2小匙

紅花綠葉

材料：

1. 白花椰菜半顆
2. 綠花椰菜半顆
3. 蕃茄一顆
4. 酸梅一粒

調味料：

鹽少許

作法：

1. 白花椰菜、綠花椰菜洗淨切小朵。
2. 取小鍋先放一圈白花椰菜，再放一圈綠花椰菜。
3. 番茄切三刀，成花瓣狀，放入酸梅。
4. 鍋中放半米杯水，灑點鹽，開中火，煮開後，燜一下再起鍋。

叮嚀：

1. 花椰菜是十字花科植物，熱量低、纖維多、富含維生素C和A，同時它還含有被稱為「引垛甲醇」的超強抗癌物，是最好的抗癌食物。不過青花菜很容易變黃，買回來最好儘早下鍋。
2. 這鍋菜很清淡，加了番茄和酸梅，不僅顏色漂亮，滋味也豐富許多。花的時間不比花椰菜單純汆燙一下多，卻好吃多了，也吃進更多營養。
3. 包心菜和甘藍菜也是十字花科植物，也具有同樣的抗癌效果，可以多吃。

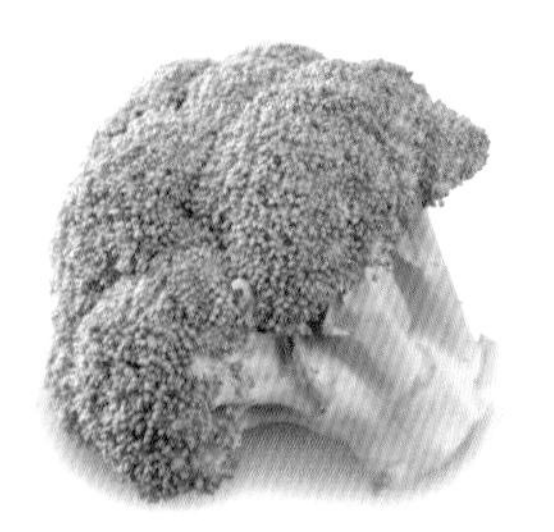

黑白雙雄

作法：

1. 山藥削去外皮，切1公分厚圓片。
2. 香菇洗淨，泡熱水，去蒂（可放湯鍋內煮湯，不要浪費）備用 。
3. 紅蘿蔔連皮洗淨，切小丁。
4. 荸薺削去外皮，切小丁。
5. 絞肉加一點水，以順時鐘方向攪拌一下，加入醬油、麻油、一點糖，再加進紅蘿蔔、荸薺拌勻。
6. 將拌勻的絞肉鑲進香菇內緣，放山藥上，一個個擺盤中。
7. 待鍋中水滾，放入蒸10分鐘。

叮嚀：

1. 也可以利用電鍋煮飯的時間，同時放入，待飯好了，這道菜也熟了，省時省力。
2. 利用假日買菜回來先鑲好香菇絞肉，下班回家，切幾片山藥，放上香菇，就可以進電鍋蒸了。
3. 山藥營養價值高、熱量低，尤其含豐富的天然植物性賀爾蒙及皂甘成份，具有「滋陰補陽」的效果，常用來調理病後虛弱體質及產後調養，同時也是小孩強健體魄最佳聖品。

材料：

1. 日本山藥半條
2. 香菇六朵
3. 絞肉2兩
4. 紅蘿蔔1/3條
5. 荸薺2顆

調味料：

鹽少許

醬油

麻油

蘆筍百合

材料：

1. 蘆筍一把
2. 新鮮百合一顆

調味料：

沙拉油或橄欖油2匙

鹽少許

作法：

1. 將蘆筍洗淨，去老硬部分，切段，約五公分長。
2. 百合一片片剝下,切去污點部分，洗淨後,用水稍泡,瀝乾備用。
3. 鍋中放油，放入蘆筍快炒。
4. 加入百合，快炒幾下，百合顏色變透明，加鹽，即可起鍋。

叮嚀：

1. 這道菜清爽可口，也可以稍清炒後加高湯調味，起鍋前再灑上一點枸杞子，顏色更漂亮。
2. 宴客時也可以加蝦仁一起炒。蝦仁先入鍋炒，待顏色轉紅，加入蘆筍，快炒幾下，再加入百合，加鹽即可起鍋。
3. 百合清心養肺，季節變換之際容易感冒，不妨以百合入菜，也可以用冰糖熬甜湯，對肺部有舒緩作用。

禧福會

作法：

1. 將各種菇類洗淨，新鮮香菇切片，杏鮑菇切塊，柳松菇及金針菇切約3公分的長條備用。羅勒葉洗淨備用。
2. 鍋內放置少許的水將香菇及柳松菇、杏鮑菇放置鍋內，開中火煮約2分鐘，再放入金針菇快煮，加入醬油調味。
3. 芶芡粉拌勻倒入鍋中快炒。
4. 最後加入羅勒葉及冷壓芝麻油拌勻即可熄火。

叮嚀：

1. 菇菌類含有豐富多醣體，及鍺元素等有效抗癌成分，可以抑制癌症的發生。香菇、草菇、洋菇、猴頭菇、姬松茸、白木耳、黑木耳、靈芝、椎茸、冬蟲夏草都是菇菌類。
2. 這道菜是用燴的，要更清淡一點，可以用這些材料煮湯。菇類可視季節隨意增減。

材料：

1. 金針菇、新鮮香菇、柳松菇、杏鮑菇各200克
2. 羅勒葉（九層塔）少許

調味料：

冷壓芝麻油

醬油

芶芡粉少許

破布子蒸魚

材料：

1. 魚一條或魚排一塊（8至12兩左右）
2. 蔥段、薑片

調味料：

鹽少許

破布子一匙

醬油一小匙

純米霖一匙

作法：

1. 魚去鱗片、內臟，洗淨，抹一點鹽，備用。
2. 將魚放蒸盤上，淋上純米霖、醬油、鋪上破布子 。
3. 水開，將蒸盤放鍋內，大火蒸12-15分鐘（視魚大小，魚排蒸的時間較短） 。
4. 將蔥切段後切絲，薑切絲撒在蒸魚上。
5. 將蒸過之魚湯倒入鍋中 加少許油加熱後淋在蒸魚上即可。

叮嚀：

1. 魚是很好的蛋白質來源，根據「美國臨床營養學刊」的報導，每週至少吃兩次以上魚的人，得消化道癌症的機會，比不常吃魚的人低30%--50%。
2. 破布子具有開脾、健胃、消脹等功能，對於糖尿病、高血壓也有不錯的效果。尤其用它來蒸魚，不僅沒有魚腥味，而且清甜可口。

肉燥什錦

作法：

1. 紅蘿蔔連外皮洗淨切小丁。
2. 馬鈴薯、洋蔥洗淨，去皮，切小丁。
3. 香菇、黑木耳洗淨、泡熱水、切小丁。
4. 絞肉拌醬油、香油，順時鐘方向攪拌均勻。
5. 先熱鍋，加點油，放入香菇、洋蔥，爆香，再加入所有材料，和剩下的醬油，翻炒一下，聞到香味，加半米杯水，蓋上鍋蓋，小火燜煮15分鐘，就可以起鍋。

材料：

1. 紅蘿蔔一條
2. 馬鈴薯一個
3. 洋蔥一個
4. 香菇3朵
5. 黑木耳4片
6. 絞肉半斤
7. 蒜頭2顆

調味料：

香菇醬油2匙

香油少許

叮嚀：

1. 這道菜跟傳統肉燥不同的是，它加入了很多具有抗癌效果的蔬菜，而且稍煮一下就起鍋，不過度烹煮，所以好吃又營養。

水果雞

材料：

1. 鳳梨 1/2 個
2. 蘋果一個
3. 柳丁一個
4. 土雞半隻

調味料：

醬油 2 匙

純米霖 1 匙

作法：

1. 鳳梨、蘋果、柳丁，削皮，切塊，備用。
2. 土雞洗淨、用紙抹布吸去水分，剁塊，用熱水汆燙去血水，備用。
3. 將材料全部放入鍋內，加醬油、純米霖和一米杯水，以中火煮開，轉小火爛煮 25 分鐘，就完成了一道香噴噴的水果雞。

叮嚀：

如果能買到有機蘋果，就不用削皮，這道菜的顏色也會更豐富。

洋蔥牛肉

材料：

1. 牛排一塊
2. 洋蔥一個
3. 鋁箔紙 50 公分平方一張

調味料：

牛油少許

鹽少許

胡椒少許

作法：

1. 洋蔥去外皮，切絲。
2. 牛排洗淨、用紙抹布吸去水分，抹鹽、切小塊，備用。
3. 鋁箔紙舖平，不亮的一面朝上。
4. 放入洋蔥絲、奶油、再放牛肉，灑上胡椒。
5. 把鋁箔紙密合，放烤箱中烤 5 至 7 分鐘，就完成了一道香噴噴的洋蔥牛肉。

叮嚀：

1. 鋁箔紙亮的一面有毒，所以一定要不亮的一面才能接觸食物，千萬不要弄錯。
2. 這道菜也可以加入蘆筍，青、紅、黃椒一起烤，顏色更漂亮，營養也更豐富。下班回家，幾分鐘一道色香味俱全的菜餚就上桌了，省時省力。

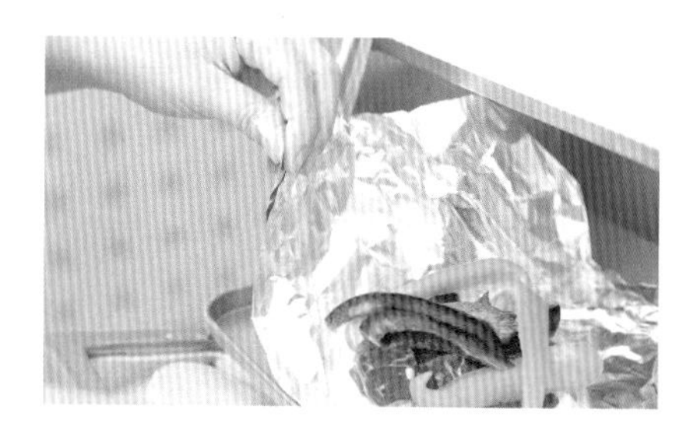

蘿蔔燒肉

作法：

1. 紅蘿蔔連皮洗淨，切大塊。
2. 白蘿蔔洗淨削皮，切大塊。
3. 梅花肉切塊。
4. 先熱鍋，放入梅花肉，爆出油汁，到肉呈金黃色，加入蔥、薑、蒜一起爆香。沿鍋邊加入純米霖，再放醬油，煮一下讓肉上色。
5. 將切成大塊的紅蘿蔔、白蘿蔔蓋在肉上，完全封住肉塊，以中火煮開後轉小火煮25分鐘，就可以起鍋。

材料：

1. 紅蘿蔔一條
2. 白蘿蔔一條
3. 梅花肉半斤
4. 蒜頭2顆
5. 蔥段
6. 薑片

調味料：

香菇醬油2匙

純米霖1匙

叮嚀：

1. 這道菜最好吃的是白蘿蔔，所以可以選大條一點的白蘿蔔。再加上肉質QQ的，真是又好吃又營養。
2. 如果你家的鍋傳熱性高，這道菜可以完全不加水，表現食物的原味，否則在放羅蔔時，可加一米杯水，一樣好吃。
3. 白蘿蔔含有豐富的維他命C，以及抗氧化劑和免疫調節劑，還有較多的粗纖維，可以刺激腸胃蠕動，減少糞便毒素在體內停留時間，跟紅蘿蔔一樣，是預防癌症、治療癌症的好食物。

蕃茄海鮮湯

材料：

1. 蕃茄Sauce罐頭2罐
2. 中型蕃茄2個
3. 草蝦6兩
4. 墨魚6兩
5. 魚片4兩
6. 蛤利（大）4個（四人份）

調味料：

鹽少許

作法：

1. 草蝦洗淨，從背部挑除腸泥，剪去鬚腳，備用。
2. 墨魚洗淨，交叉切斜片，備用。
3. 魚片洗淨、切片備用。
4. 蛤利泡水吐沙、洗淨備用。
5. 蕃茄洗淨、切小塊，備用。
6. 蕃茄Sauce罐頭倒入鍋中，加3罐水煮開。
7. 放入番茄、墨魚、魚片稍煮一下。
8. 最後放入草蝦、蛤利，等草蝦變紅、蛤利開口，加鹽，即可起鍋。

叮嚀：

1. 這是一道西式熱湯，色香味俱全，可用來待客。如時間充裕，可倒白酒200c.c.入鍋中加熱，將墨魚、魚片、草蝦、蛤利一一放白酒中汆燙一下，再放入番茄湯中煮熟，風味會更道地。
2. 番茄富含茄紅素，是一種抗氧化劑，可以預防乳癌、子宮頸癌、攝護腺癌、前列腺癌、和結腸癌，對心血管疾病也有很好的預防效果。

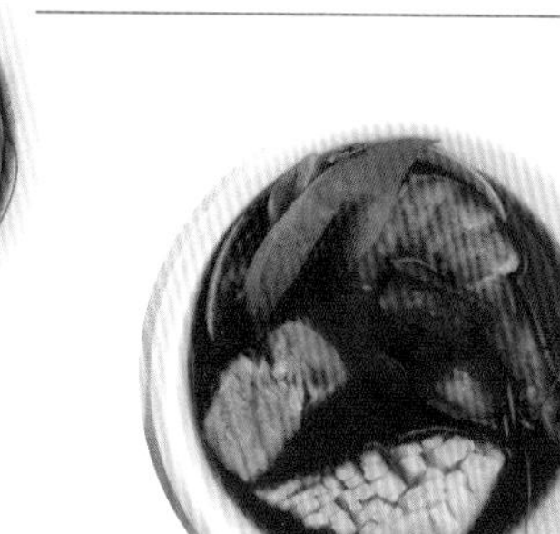

蓮藕龍骨湯

作法：

1. 蓮藕、紅蘿蔔、牛蒡連外皮刷洗乾淨，切片（蓮藕、牛蒡）或切塊（紅蘿蔔）備用。
2. 洋蔥、青木瓜、馬鈴薯等食材洗淨後，去皮、去子，切塊，備用 。
3. 香菇洗淨、泡熱水，切片。
4. 將豬龍骨先以熱水汆燙後，加入作法 1 、 2 、 3 中所有食材及薑片一起燉煮，滾開後轉小火煮 30 分鐘。
5. 最後加上鹽及胡椒調味即成。

材料：

1. 有機豬龍骨四兩
2. 有機蓮藕 3 節
3. 紅蘿蔔 1 條
4. 洋蔥 1 個
5. 青木瓜半個
6. 馬鈴薯 1 個
7. 牛蒡 4 兩
8. 香菇 5 朵
9. 薑片 5 片

調味料：

鹽

胡椒

叮嚀：

1. 蓮藕維生素 C 含量豐富，還有一般植物少有的維生素 B1 ，具有化淤、止咳的效果。
2. 根據本草綱目，蓮藕生食治霍亂後虛渴，蒸食甚補五臟、實下焦，是非常適合冬天食補的食材。趁著假日燉一鍋，吃起來身心都溫暖。

紫菜小魚湯

作法：

1. 小魚沖洗乾淨。
2. 鍋中加水 1000c.c.。
3. 水滾放入小魚煮 5 分鐘。
4. 放入紫菜稍滾一下。
5. 加鹽、蔥花、香油即可起鍋。

材料：

1. 紫菜 2 片
2. 小魚 30 克

調味料：

鹽少許

蔥花少許

香油

叮嚀：

1. 這道熱湯只要 10 分鐘就可以上桌，同時碘和鈣等微量元素豐富，是很不錯的一道湯。自己做比罐頭湯或速食湯更營養，而且不含添加物，鹽的含量也較低，花的時間卻多不了多少，算一算非常划得來。

金針肉絲湯

作法：

1. 乾金針洗淨泡熱水20分鐘，打結備用。
2. 新鮮金針洗淨備用。
3. 鍋中放1000c.c.水，水滾放入打結的乾金針。
4. 乾金針煮滾之後，加肉絲、新鮮金針。
5. 水再滾，加鹽、香油即可起鍋。

材料：

1. 乾金針30克
2. 新鮮金針100克
3. 肉絲4兩

調味料：

鹽少許

香油

叮嚀：

1. 金針含有豐富的鐵質，含量有菠菜的20倍之多，被視為補血的食物。同時它含鈣和維生素C，可健腦。中醫的講法是多喝金針湯可以清肺熱，柔和肝氣。
2. 新鮮金針跟乾金針一起煮，顏色漂亮，滋味也更甘甜。

味噌魚湯

作法：

1. 鮭魚洗淨切薄片。
2. 鍋中加水 1000c.c.。
3. 水滾放入鮭魚稍煮一下。
4. 水再滾放入豆腐、薑絲。
5. 最後加味噌、蔥花、香油即可起鍋。
6. 也可在放豆腐時，一同加入海帶芽。

叮嚀：

1. 味噌一定要起鍋前再放入，味道才會甘甜。
2. 魚可以用其他魚類代替。
3. 這道熱湯色香味俱全，營養又豐富，卻只要 10 分鐘就可以上桌，同時不需要有好手藝也可以煮得很好。

材料：

1. 海帶芽 30 克
2. 豆腐半塊
3. 鮭魚 4 兩

調味料：

味噌兩匙

蔥花少許

薑絲少許

香油

抗癌蔬菜湯

作法：

1. 紅蘿蔔連皮洗淨，切滾刀塊。
2. 白蘿蔔連皮洗淨，切滾刀塊。
3. 白蘿蔔葉洗淨，切段。
4. 香菇洗淨，泡熱水（泡香菇水可放湯鍋內煮湯）備用。
7. 牛蒡連皮刷洗乾淨，切厚片。
8. 湯鍋加水或高湯1000c.c.，放進作法1. 2. 3. 4. 5. ，水滾再煮30分鐘。

叮嚀：

1. 這道菜可清腸胃，同時抗癌物質豐富，是很不錯的一道湯。也可不加鹽，拿來當水喝。
2. 大量煮時，白蘿蔔一斤、紅蘿蔔半斤、白蘿蔔葉半斤、牛蒡六兩、香菇五朵，放蔬菜三倍的水量。如當水喝，可在水滾後，以小火滾1小時。
3. 白蘿蔔含有豐富的維他命C，以及抗氧化劑和免疫調節劑，還有較多的粗纖維，可以刺激腸胃蠕動，減少糞便毒素在體內停留時間，跟紅蘿蔔一樣，是預防癌症、治療癌症的好食物。
4. 白蘿蔔葉通常很少人吃，但是根據農委會台中區農業改良場分析發現，蘿蔔葉不但維生素含量比蘿蔔高，就連熱量和礦物質也比蘿蔔高。它所含的維生素A是肝臟和鰻魚的三倍多，維生素B2是牛奶的兩倍，所以不吃可惜。其實它快炒一下加一點蒜，也蠻好吃。

材料：

1. 紅蘿蔔一條
2. 白蘿蔔一條
3. 白蘿蔔葉一小把
4. 香菇（用陽光曬乾的）三朵
5. 牛蒡半條

調味料：

鹽少許

全冬瓜子奶湯

作法：

1. 冬瓜瓜囊連子用刀切下，放入調理機，加水300c.c.，打勻就完成了冬瓜子奶。
2. 將冬瓜連皮洗刷乾淨，切約1公分厚片，放入湯鍋中將打好的冬瓜子奶倒入鍋中，再加500c.c.牧草高湯或好水一起煮滾，起鍋前加入薑絲稍滾一下，再灑上少許海鹽，就成了一道營養豐富的冬瓜子奶湯。

對象： 適合全家大小，尤其是過重或有高血壓、水腫、腎臟病的人。

營養：

1. 冬瓜利尿消腫，清熱解獨，尤其瓜皮利尿作用更強，所以連皮帶子吃效果最好，也不致寒涼。
2. 冬瓜含鈉量很低，是腎臟病、浮腫病人的理想蔬菜。冬瓜還含有多種維生素、蛋白質和礦物質，所以有延年耐老的作用。
3. 多吃冬瓜對動脈硬化、高血壓也有治療作用，因為它能去掉人體內過剩的脂肪，所以也有減肥健美的效果。

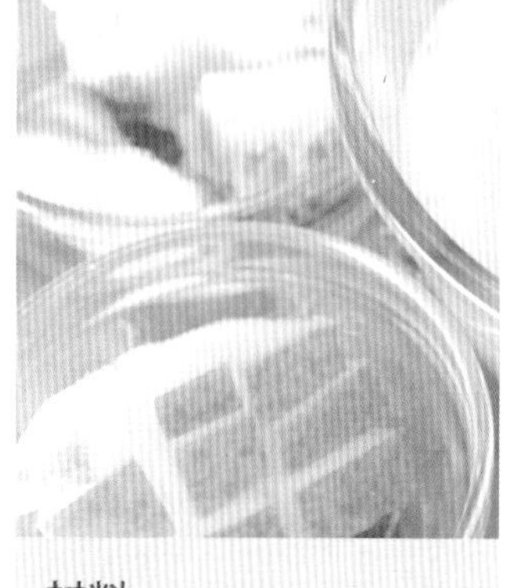

材料：
（以三人份為標準參考）

1. 冬瓜（含籽、皮）350g
2. 嫩薑一塊切絲
3. 熱水450c.c.
4. 海鹽少許

全南瓜濃湯

作法：

1. 有機南瓜用刷子洗淨，切成4塊，放入電鍋內鍋，外鍋放1杯水蒸熟。
2. 糙米洗淨、浸泡4小時後、瀝乾，加入1倍的水放入電鍋煮熟，外鍋放2杯水。
3. 將蒸熟的南瓜、煮熟的糙米及熱水放入調理機打勻，調理過程中可用攪拌棒協助調理。
4. 再將50g的腰果加入調理機中一起打。
5. 將攪拌好的南瓜濃湯倒出，灑上少許海鹽及巴西利(義大利香料)，即可享用。

對象： 適合全家大小。

材料：

（以三人份為標準參考）

1. 有機南瓜（含籽、皮）350g
2. 糙米1米杯（約80g）
3. 熱水450c.c.
4. 腰果50g
5. 海鹽少許
6. 巴西利(義大利香料)

營養：

1. 南瓜含豐富的β胡蘿蔔素、維生素C及維生素E，可以提升免疫力，且含豐富的食物纖維，能預防大腸癌。
2. 腰果的脂肪中有60％的油酸可預防動脈硬化，其餘的脂肪中有20％是不飽和的亞麻油酸，可預防中風和心肌梗塞。

蔬菜濃湯

材料：

（以三人份為標準參考）

1. 有機胡蘿蔔 50g
2. 有機西洋芹菜 100g
3. 有機高麗菜 100g
4. 有機大蕃茄 1 顆
5. 有機洋蔥八分之一顆
6. 白飯 1 米杯（尖的）
7. 熱開水 2 米杯
8. 胡椒鹽少許

作法：

1. 將有機胡蘿蔔洗淨、切段，備用；芹菜、高麗菜、大蕃茄洗淨，備用；洋蔥洗淨、切塊，備用。
2. 將所有材料一同置入調理機打勻，即可完成一道健康又美味的蔬菜濃湯。

對象： 適合全家大小。

營養：

1. 有機胡蘿蔔含有豐富的 β 胡蘿蔔素，在腸道中能轉化成維生素 A，是極佳的抗氧化食物，而且胡蘿蔔亦含豐富的鉀、鈣、鎂、鐵等豐富的礦物質。
2. 有機西洋芹含豐富的蛋白質、鈣、磷、鉀、鐵、維生素 P、β 胡蘿蔔素、維生素、醣類，而且熱量低，纖維高，對於高血壓、高膽固醇及肥胖有防治效果。
3. 有機高麗菜含豐富高纖維，可預防結腸癌，能修護胃腸組織，達到預防潰瘍的作用。
4. 有機番茄含豐富的維生素及礦物質，菸鹼酸含量為蔬果之冠，其所含的各種有機酸可消除體內造成疲勞的物質，而且能促進胃液分泌，幫助消化蛋白質。番茄中的茄紅素是強力的抗氧化物質，其中的穀胱甘太有延緩細胞老化、抗癌的效果。
5. 有機洋蔥含有硫化丙烯，硫化丙烯能促進消化液的分泌，增進食慾，並可提高維生素 B1 的作用，所以能消除疲勞，改善手腳冰冷的狀況。

叮嚀：

1. 對於進食不便、咀嚼能力較差及腸胃吸收不良者，引用調理機處理過了湯類，又助於得到較完整的營養。
2. 忙碌的上班族、職業婦女也不必擔心沒時間熬湯，只要幾分鐘一道熱騰騰的湯就完成了，而且植物細胞壁都擊破了，營養更容易吸收。

五色麵疙瘩

作法：

1. 紅蘿蔔連皮洗淨，切滾刀塊。
2. 馬鈴薯削去外皮，切塊狀 。
3. 蕃茄洗淨，切塊狀。
4. 洋蔥剝去外皮，切小塊。
5. 高麗菜洗淨，切小片。
6. 湯鍋加水或高湯，放進作法 1. 2. 3. 4. 5.，和麵疙瘩，水滾煮 20 分鐘，放高麗菜，水再滾，煮 5 分鐘。
7. 加入肉片、均勻散開，煮滾，加鹽和麻油即可起鍋。
8. 也可加入蛋餃，內容更豐富，顏色也更漂亮。

叮嚀：

1. 這道菜很適合忙碌的職業婦女，尤其是冬天，熱呼呼的一鍋，主食、蔬菜、甚至肉類全齊備了，既省事又營養，而且色香味俱全，在我家很受歡迎。
2. 肉類最忌諱久煮或過度烹調。因為蛋白質遇熱或過度烹煮，不僅很難消化，而且容易產生毒素。所以切薄、燙熟、立刻起鍋是我較常用的方法。蒜泥白肉也是不錯的烹調方法。要不就切薄，加一點油略煎一下。

材料：

1. 三色麵疙瘩一斤（橘色是加紅蘿蔔汁、綠色是加菠菜汁、原色是加水）
2. 紅蘿蔔一條
3. 馬鈴薯一個
4. 番茄一個
5. 洋蔥一個
6. 高麗菜 1/4 個
7. 火鍋肉片一盒

調味料：

鹽少許

麻油

PART 5
休閒食品篇

除了日常三餐之外，人還有其他的口腹之慾。餐與餐之間肚子餓，除了吃水果之外是不是還有其他選擇，既可以滿足口腹之慾，又營養衛生，至少不會吃進毒素，或造成身體負擔。過年過節，或特別的日子，有沒有一些好吃的美食可以增加溫馨與甜蜜，讓歡樂的滋味不僅縈繞在腦海裏，也留存在齒頰間，久久不能忘懷。在這要為您介紹五道「幸福的滋味」，您將發現幸福其實很Easy。

杏仁冰沙

作法：

1. 將杏仁醬、100c.c.牛奶及冰塊依序置入調理機打勻，有些調理機在打拌過程中，有攪拌棒設計，可持棒沿容杯四周及中央向下壓擠協助調理。
2. 將調理好的冰沙用刮棒倒入調理器皿中，即可完成一道美味又可口的杏仁冰沙。成品約350ml 。

對象： 適合全家大小。

營養：

杏仁含有著名的抗緊張礦物質－鎂，鎂可以讓人心情平靜、愉悅。增加鎂的攝取，能有效改善經前症候群的諸多不適症狀，還有降低血壓的功效。

叮嚀：

1. 調理冰沙或冰淇淋須注意，食材放置下層，冰塊放上層。
2. 我不太贊成吃冰，尤其是女性生理期間，絕不要吃冰。但是如果要吃冰，自己在家裏做的，比較營養而且更衛生，又沒有添加物，應該可以放心吃，但還是不要一下吃太多。同時吃的時候最好在嘴裏含一下，調整一下溫度，再吞下肚，這樣對胃的傷害比較小。

材料：

（以三人份為標準參考）

1. 杏仁醬3大匙（約200g）（做法詳見美食PART3調味醬篇）
2. 鮮奶100c.c.
3. 冰塊300g

香蕉鳳梨冰沙

作法：

1. 將有機鳳梨洗淨、去皮、切塊，放入冷凍庫中冷凍。
2. 將香蕉去皮、切塊，放入冷凍庫中冷凍。
3. 將有機鳳梨、香蕉及冰塊依序置入調理機，打勻。
4. 將調理好的冰沙用刮棒倒入調理器皿中，即可完成一道美味又可口的香蕉鳳梨冰沙。成品約370ml。

對象： 適合全家大小。

叮嚀：

1. 調理冰沙或冰淇淋須注意，食材放置下層，冰塊放上層。
2. 這道冰沙無論口味或是顏色都棒得不得了，而且它是用水果做成的，又沒有任何添加物，可以算是最健康的冰品了。

材料：
（以三人份為標準參考）

1. 香蕉50g
2. 有機鳳梨350g
3. 冰塊75g

草莓冰沙

作法：

1. 將草莓洗淨，放入冷凍庫中冷凍。
2. 將草莓及2茶匙的原色冰糖依序置入調理機，打勻。
3. 將調理好的冰沙用刮棒倒入調理器皿中，即可完成一道美味又可口的草莓冰沙。成品約350ml 。

對象： 適合全家大小。

材料：
（以三人份為標準參考）

1. 草莓400g
2. 原色冰糖2茶匙

叮嚀：

1. 調理冰沙或冰淇淋須注意，食材放置下層，冰塊放上層。
2. 如果不是草莓季節，可以到Cosco等大賣場，買進口的冷凍草莓當作材料。
3. 可以使用季節性的水果變化花樣。如芒果盛產，就做芒果冰沙，或西瓜冰沙。方法都一樣，把新鮮、熟度夠的水果放進凍箱冷凍，加適量冰糖或果糖、和冰塊用調理機一打，就是色香味俱全又衛生的冰沙。

燕麥糕

作法：

1. 將燕麥洗淨，用600c.c.的水泡3個小時。
2. 將泡好的燕麥與水及黑糖依序放入調理機，打到有點溫熱。
3. 再將1米杯蓮藕粉放入容杯中，蓋緊蓋子，重複3～4次打勻。
4. 將調理好的燕麥用刮棒倒入電鍋內鍋，外鍋加1杯水蒸熟即可。
5. 蒸好的燕麥糕冷卻後，即可取出，就是一道美味又可口的糕點。

對象： 適合全家大小。

營養：

1. 燕麥含豐富的可溶性纖維，可促使膽酸排出體外，降低血液中的膽固醇含量。
2. 黑糖有美容、降火氣、補血、補氣的功效。
3. 蓮藕粉可以安定神經、幫助睡眠；還有行血、補血、涼血、止血、修補微血管內壁細胞的功用。

叮嚀：

1. 目前的燕麥糕只是基本樣，如果想吃不同口味，蒸的過程可加入堅果、葡萄乾或紅豆。
2. 若要判別是否蒸熟，可使用竹筷子測試，不沾筷即表示完成。
3. 如果份數做比較多的話，可參考下列材料的比例，依照上述二～五的作法。若是做大量的話，可參考材料一之作法。（材料：泡好的燕麥2米杯、蓮藕粉1米杯、黑糖1米杯、水500c.c.）

材料：
（以三人份為標準參考）

1. 乾燥的燕麥2米杯
2. 蓮藕粉1米杯
3. 黑糖1米杯
4. 水600c.c.

蘿蔔糕

作法：

爆香部分：

1. 將香菇洗淨、泡熱水10分鐘後，將水瀝乾，把香菇蒂頭去除，放入調理機將香菇打碎之後，倒入調理器皿中，備用。
2. 將紅蔥頭、肉乾、小蝦米分別洗淨，單獨放入調理機打碎，備用。
3. 將平底鍋熱鍋之後，倒入少許橄欖油，將打碎後的紅蔥頭、肉乾、小蝦米及海鹽放入鍋中，用小火爆香，炒至有點金黃色之後，再加入少許的白胡椒粉、未漂白冰糖及有機醬油調味，起鍋備用。

蘿蔔部份：

1. 將有機白蘿蔔洗淨、去皮、刴絲。
2. 將刴好的白蘿蔔絲用2茶匙的鹽抓，使其出水，再放入電鍋內鍋，外鍋放1杯水，將白蘿蔔絲蒸熟，放涼備用。
3. 將蒸熟的白蘿蔔絲擰乾，分成2份（白蘿蔔水約2米杯）備用。

磨米部份：

1. 將在來米洗淨，泡水4小時，瀝乾。
2. 將1份白蘿蔔絲、2米杯在來米、2米杯的白蘿蔔水及3米杯熱水，依序放入調理機，打到變成稠狀，像醬糊般，完成後，倒入調理容器中。
3. 將另一半的蘿蔔絲及爆好的佐料放入調理好的米漿中，加以攪拌。
4. 把攪拌好的米漿用刮刀倒入電鍋內鍋，外鍋加3杯水蒸煮即可。
5. 蒸好的蘿蔔糕冷卻後，即可脫膜，就是一道美味又可口的蘿蔔糕。

對象： 適合全家大小。

營養：

白蘿蔔含糖化酶、木質素、澱粉酶、粗纖維和維生素C，可以抗癌還可以預防動脈硬化，而且可促進腸胃蠕動，保持排便暢通。.

備註：若要判別是否蒸熟，可使用竹筷子測試，不沾筷即表示完成。
用調理機做蘿蔔糕，不但可以代替磨米機，亦可讓我們輕鬆地利用調理機磨擦生熱，讓米漿成漿糊狀，無須在瓦斯爐上煮米漿，一來不怕火喉過大使得米漿燒焦，二來讓我們做糕點更輕鬆、容易。

材料：

(以三人份為標準參考)

1. 在來米2米杯
2. 有機白蘿蔔1斤
3. 香菇100g
4. 肉乾50g
5. 小蝦米30g
6. 紅蔥頭50g
7. 鹽2茶匙
8. 胡椒鹽少許
9. 有機醬油2大匙
10. 水5米杯（2米杯蘿蔔水及3米杯熱開水）

感謝

我今天能重獲健康、重拾幸福，並且完成這本書、希望能利益大眾，要感謝很多人。

首先要感謝榮總的雷永耀醫師、李壽東醫師和他們帶領的醫療群，給我先生很好的醫療照顧，讓他得到康復的機會。

其次要感謝我的師父聖嚴法師，他教我打坐、讓我學會放鬆，還教我學會感恩、知福、惜福，以及慈悲、智慧的重要，讓我活得更自在。

莊淑旂博士和我的小姑蘇永安博士對中醫有深入的研究，她們常常接受我的諮詢，給我很多的指導和幫助。莊博士的「健康是可以管理的」和蘇博士的「經絡養生」觀念和「先知歸經再挑美食」一書，都給我很多的啓發和信心。

我也要感謝雷久南博士，她率先將生機飲食的觀念帶進國內，因為她的介紹我開始喝「精力湯」，並且成了我保持健康的秘密武器。

感謝台大林碧霞教授跟我研討有機耕種的問題，讓我了解有機耕種和有機飲食的重要性。安・威格摩爾博士的著作也是她翻譯引介的。

我最要感謝的是一路走來的好朋友李秋涼老師，我們因為生機飲食結緣，並且成為好朋友，經常一起交換生機飲食的心得。我比較忙，而她常

有新點子，因著她的分享我也得到許多點子去改進我的餐點。

我也要感謝一些識或不識而對健康飲食有興趣的人，他們創造出來的菜餚，我因為吃到或看到、受到啓發加以變化，成了我家的美食，所以這些好吃的餐點不全是我一個人的功勞。

我要感謝我的家人，因為他們的愛，給我源源不斷的動力去研究營養、改善家中飲食。我也要感謝父母，給我天生敏銳的體質，讓我容易區分對我好和不好的飲食及方法。

謝謝巧手慧心的得郡、秋香、菁菁、淑惠、靜慧幫忙整理文字稿件。

感謝本書的發行人許淑晴，如果不是她的慧眼相中我，並且不厭其煩的殷殷相催，又訂下嚴格的時間表，我相信這本書不會這麼快誕生。

最後，最最要感謝的是各位讀者，想跟你們分享，是推動我寫這本書最大的動力。

希望你也從中得到動力，開始實踐這種簡單、健康的飲食文化，愛自己、愛家人，更珍惜這片土地。最重要的是：一定要健康、幸福唷！所以趕快動手吧！

全食物密碼

作　　者：陳月卿
發 行 人：許淑晴
統　　籌：企劃部
攝　　影：陳柏寧
攝影協力：林靜儀
美術編輯：美編組
文字編輯：文編組
出 版 者：大開資訊股份有限公司
地　　址：台北市大安區仁愛路三段十一號六樓
訂購專線：(02)8773-5081; 0938-585-815
傳　　眞：(02)3365-1856
郵政劃撥：19564637 大開資訊股份有限公司
電子郵件：evelyn32@ms38.hinet.net
法律顧問：萬國法律事務所
印　　刷：鴻霖印刷傳媒事業有限公司
中華民國94年元月出版
中華民國94年四月六刷
經 銷 商：展智文化事業股份有限公司
地　　址：板橋市松江街21號2樓
電　　話：(02)2251-8345

定　　價：新台幣280元

ISBN 986 80913-1-4

國家圖書館出版品預行編目資料

全食物密碼／陳月卿作. ——臺北市：大開資訊，民94
面；　公分

ISBN 986-80913-1-4（平裝）
1. 食譜

427.1　　93024607